Kunt u mij even helpen?

Help!

Een cursus Nederlands voor buitenlanders

2

Kunt u mij even helpen?

A.M. Fontein
P. de Kleijn

Nederlands Centrum Buitenlanders

help! Een cursus Nederlands voor buitenlanders bestaat uit de volgende delen:

1 Kunt u mij helpen? *(bestelnummer 8091.000)*
2 Kunt u mij even helpen? *(bestelnummer 906.0780)*
3 Zal ik u even helpen? *(bestelnummer 8090.029)*
4 Ik help u wel even! *(in voorbereiding)*

ISBN 90-71938-55-7
Bestelnummer 906.0780

Inhoud

Voorwoord

'Kunt u mij even helpen?' is de titel van het tweede deel uit de serie 'Help!'.
Wij hebben de titels van de verschillende delen in deze serie zodanig gekozen
dat hiermee de ontwikkeling in taalvaardigheid van hulpeloosheid tot
onafhankelijkheid wordt uitgedrukt.
De serie is in de eerste plaats bestemd voor niet-Nederlandstaligen die het
Nederlands willen leren om vervolgens in Nederland een opleiding op hoger
niveau te gaan volgen dan wel een dienovereenkomstig beroep te gaan
uitoefenen.

Voor het bestuderen van deel 2 is een zekere voorkennis van het Nederlands
vereist. De cursist moet zich in eenvoudige, alledaagse situaties mondeling en
schriftelijk redelijk kunnen uitdrukken. Hij moet verschillende structuren en
grammaticale onderwerpen en een vocabulaire van ruim 1000 woorden actief
beheersen.
De voor deel 2 vereiste voorkennis is te vinden in deel 1 van deze serie.
Deel 2, evenals de andere delen uit deze serie, is in principe bestemd voor
gebruik in een lessituatie.
Er zijn bij dit boek woordenlijsten in verschillende vreemde talen apart
verkrijgbaar. Deze bevatten de woorden die in deel 2 worden aangeboden, met
uitzondering van de woorden die al in deel 1 staan.
Bovendien zijn er geluidscassettes en een docentenbijlage verkrijgbaar. In de
docentenbijlage vindt men de sleutel bij de oefeningen en de integrale tekst van
het luistermateriaal.
Veel dank is verschuldigd aan de begeleidingscommissie, met name aan
mevrouw F. Goossens, voor haar constructieve adviezen. Ook danken wij
mevrouw A. Pescher voor haar oordeelkundig commentaar.

Utrecht, december 1990

De auteurs

Inleiding

Dit boek, dat voor het middenniveau is bestemd, bestaat uit negen lessen. De eerste acht lessen behandelen het centrale thema van dit boek: Nederland, land en volk. Les 9 is een herhalingsles.

In de eerste acht lessen vindt men teksten met vragen en opdrachten, schrijfoefeningen, vocabulaire-oefeningen, luisteroefeningen, oefeningen die mondeling of schriftelijk gemaakt kunnen worden en leesteksten zonder verdere opdracht. Een groot deel van de oefeningen kan met behulp van geluidscassettes gedaan worden. Bovendien bevat het boek de uitleg van die grammaticale onderwerpen die in deel 1 niet aan de orde zijn gekomen.

In de eerste vijf lessen worden nieuwe grammaticale onderwerpen aangeboden. De laatste vier lessen zijn, wat de grammatica betreft, een herhaling.

Voor een verdere handleiding bij de oefeningen en een verantwoording van deel 2 verwijzen wij naar de docentenbijlage.

Les een – Aardrijkskunde

1 Tekst

Nederland is bijna klaar

Is een tulp mooier dan een roos? Is een appel lekkerder dan een sinaasappel? Is een vakantie aan zee fijner dan een vakantie in de bossen?
Dat zijn vragen waarop men niet met zekerheid kan antwoorden.
Maar er zijn een paar dingen die wel als een paal boven water staan, die absoluut zeker zijn. Een van die dingen is dat de Nederlanders een eeuw of zes geleden begonnen zijn Nederland te maken en dat Nederland nu bijna klaar is.
Nederland is het enige land dat door mensen is gemaakt. Engeland was er al vóór er Engelsen waren. China bestond eerder dan de Chinezen en België bestond al vóór de Belgen.
Nederland is gemaakt, zoals je een kunstwerk, een schilderij, een beeld maakt.
Van elk kunstwerk staat vast dat het op een gegeven moment bijna klaar is. Zo ver is het nu met Nederland. Het is bijna klaar. Misschien moet er in Friesland nog een koetje af, misschien moet er in Noord-Brabant nog een koetje bij, misschien moet ergens nog een dijkje wat hoger, maar het grote werk is achter de rug.
Als eerste land ter wereld zijn wij bijna klaar. Dat wil niet zeggen dat wij nu kunnen gaan uitrusten. Nu het bijna klaar is, moeten wij het goed onderhouden. We moeten er heel voorzichtig mee zijn.
Het wil ook niet zeggen dat de Nederlanders klaar zijn. Wat voor soort mensen zijn de Nederlanders? Het zijn mensen die… Afijn, dit verhaal gaat niet over de Nederlanders, maar over Nederland. Over de Nederlanders praat ik bij een andere gelegenheid.

Vrij naar een interview met Max Reneman in de Volkskrant

2 Leesoefening

Hieronder volgt een aantal beweringen over tekst 1 'Nederland is bijna klaar'. Geef aan welke bewering waar is en welke bewering niet waar is.

1   In ± 1400 heeft men een begin gemaakt met het maken van Nederland.

2 Zes eeuwen geleden is men begonnen palen in het water te zetten.
3 Engeland is door de Engelsen gemaakt.
4 Het maken van Nederland lijkt op het maken van een kunstwerk.
5 Men wil koeien van Friesland naar Noord-Brabant brengen.
6 Engeland, China en België zijn nu ook bijna klaar.
7 Nederlanders kunnen niet gaan uitrusten.
8 Tekst 1 gaat over Nederland en de Nederlanders.

3 Vocabulaire-oefening

Hieronder staat een aantal woorden. Vul op de puntjes (...) een van deze woorden in. Ieder woord komt één keer voor.
Zet zo nodig het woord in de juiste vorm.

bestaan dijk eeuw gelegenheid onderhouden paal schilderij uitrusten
vaststellen verhaal voorzichtig wereld

1 In het Kröller-Müllermuseum hangen veel ... van Vincent van Gogh.
2 Ik doe mijn best het contact met mijn vrienden te ...
3 Wij hebben het lesrooster vandaag ontvangen. De lestijden ... nu ...
4 Over niet al te lange tijd leven we in de 21ste ...
5 Je moet goed uitkijken op straat. Je kunt niet ... genoeg zijn.
6 Binnenkort ... onze school 100 jaar.
7 Ter ... van dit gebeuren is er zaterdag feest.
8 De ... beschermen het land tegen het water.
9 In dit boek staan leuke ...
10 Ik ben erg moe. Toch heb ik geen tijd om ... te ...
11 Bij deze ... is de bushalte van lijn 10.
12 In mijn klas zitten mensen uit de hele ...

4 Tekst 📼

Ervaringen van een ambassadeur

Toen ik vanmorgen opstond, was het donker. Het regende hard. Even later begon het zelfs te sneeuwen, vieze natte sneeuw.
Toen ik dat allemaal zag, werd ik nogal gedeprimeerd van uw klimaat.

Maar toen ik vanmorgen over het Voorhout reed, was er een prachtige blauwe lucht en veel wind waardoor de kale bomen flink heen en weer bewogen. Ik was weer verzoend met het leven.

Ik ben dol op wind. Het liefste heb ik storm. Storm, dat is mijn mooiste ervaring in Nederland.
Toen ik net hier was, vroeg ik aan mijn secretaresse wat ik in Nederland moest zien. Volendam, vond zij. Ik wist niet wat ik daar mooi moest vinden. Maar toen ik er op een ijskoude winterdag in januari was, vond ik de wind het allermooiste. De wind blies de sneeuw over het ijs en in de verte zag ik een paar eenzame schaatsers.
Dat is het weer waarvan ik houd.
Was ik maar twintig, dacht ik.

Vrij naar een interview in Vrij Nederland met de ambassadeur van Turkije

5 Leesoefening

In tekst 4 'Ervaringen van een ambassadeur' kan men boven de alinea's een korte titel, een 'kopje' zetten. Zo'n kopje geeft de samenvatting van de inhoud van de alinea.
Hieronder volgen drie kopjes. Welk kopje hoort bij welke alinea?

1 Slecht humeur verdwenen
2 Genieten van wind
3 Sombere stemming

6 Schrijfoefening

Over tekst 4 'Ervaringen van een ambassadeur' volgt hier een aantal vragen. Beantwoord deze vragen.
Begin het antwoord steeds met: toen.

1 Wat voor weer was het toen de ambassadeur 's morgens wakker werd?
   Toen de ambassadeur 's morgens wakker werd, ...
2 In wat voor stemming was hij, toen hij opstond?
   Toen hij opstond, ...
3 Hoe zag de lucht eruit toen hij 's morgens over het Voorhout reed?
4 Hoe zagen de bomen eruit, toen hij over het Voorhout reed?

5   Wist hij wat hij moest gaan zien, toen hij net in Nederland was?
6   Wat voor tijd van het jaar was het, toen hij in Volendam was?
7   Wat vond hij het mooiste, toen hij in Volendam was?
8   Wat dacht hij toen hij de schaatsers zag?

7   Vocabulaire-oefening

Vul een werkwoord in uit tekst 4 'Ervaringen van een ambassadeur'. Gebruik de goede vorm.

1   Ik ... iedere morgen om 7 uur ...
2   Hij ... met zijn auto altijd veel te hard.
3   Mevrouw, ik wou u ... of u een hotelkamer voor mij in Amsterdam heeft.
4   Meneer, ... u dan niet dat er met Pasen in Amsterdam bijna geen hotelkamers te krijgen zijn?
5   Doe alsjeblieft het raam dicht. De wind ... alle papieren van mijn tafel.
6   Auto's mogen hier niet sneller ... dan 120 kilometer per uur.
7   Heb je dat mooie schilderij ... ?
8   Is er in Volendam iets moois te zien? – Ik ... het niet, maar ik denk van wel.

8   Vocabulaire-oefening

Hieronder staat een aantal woorden in alfabetische volgorde. Zoek uit deze woorden steeds twee woorden bij elkaar die een tegenstelling vormen. Bij voorbeeld: bewolkt – blauwe lucht.

bewolkt   blauwe lucht   blij   boos zijn op   droog   een hekel hebben aan
gedeprimeerd   naar bed gaan   nat   opstaan   schoon   snikheet
verzoend zijn met   vies   winterdag   ijskoud   zomerdag   dol zijn op

Gebruik nu de gevonden paren in een zin.

Bij voorbeeld: Eerst dacht ik dat het bewolkt was, maar toen ik het gordijn open deed, zag ik een mooie blauwe lucht.

9   Vocabulaire-oefening

In tekst 4 'Ervaringen van een ambassadeur' staat: 'ijskoud'. Hier betekent
'ijs': zeer, heel erg. Dus 'ijskoud' = zeer koud, heel erg koud.
Een ander voorbeeld is 'snikheet'. 'Snikheet' = zeer heet, heel erg heet.
Vul in de tekst hieronder een van de volgende woorden in. Gebruik de goede
vorm.
Om u te helpen het goede woord te kiezen, staat in de rechterkolom een
omschrijving van het woord dat u moet invullen.

broodmager	dieptreurig	dolblij	dolgraag
doodmoe	doodstil	doodvermoeiend	doodziek
ijskoud	ijzersterk	kaarsrecht	kletsnat
moederzielalleen	peperduur	piepklein	pikdonker
potdicht	schatrijk	snikheet	stampvol
stokoud	straatarm		

Een reis naar Zandvoort

Gisteren heb ik een ... reis naar Zandvoort
gemaakt. Mijn oom en tante wonen daar. Mijn
oom belde gisterenmorgen op met de mededeling
dat tante ... in bed lag.
Oom wou ... dat ik onmiddellijk kwam.
Ik had weinig zin om te gaan, want het was een
... dag – meer dan 30 graden – en ik wist van
tevoren dat de treinen naar Zandvoort ... waren.
Mijn oom en tante zijn ..., namelijk 95 jaar, maar
ze waren beiden tot nu toe helder van geest en
hadden een ... gezondheid.

Oom was ... toen ik er was. Over de
gezondheidstoestand van mijn tante kon ik gerust
zijn.
Toen ik binnenkwam, zat ze ... in bed. Ze was
wel ... geworden, want ze had de laatste tijd
weinig gegeten.
Nadat wij even bij haar hadden gezeten, gingen
wij naar de zitkamer, waar mijn oom met mij
alleen wilde praten.

*een reis waarvan ik zeer
moe werd*

*heel ernstig ziek
hij zou het heel fijn vinden*

*zeer warme
met heel veel mensen
zij hebben een zeer hoge
ouderdom
hadden een zeer goede
gezondheid
heel gelukkig*

*helemaal recht
zeer sterk vermagerd*

Mijn oom is een eigenaardige man. Ondanks de
hitte zaten wij daar met de ramen en deuren ...,   *helemaal gesloten*
waardoor ik het benauwd kreeg. Meteen begon
oom te klagen. Hij heeft het altijd over geld. Ik
kan het natuurlijk niet helemaal beoordelen, maar
volgens mij is oom ..., want hij had vroeger een   *hij heeft heel veel geld*
goede baan, maar hij doet net alsof hij ... is.   *heel weinig geld heeft*
Oom en tante wonen in een ... huisje, want mijn   *heel klein*
oom beweert dat hij voor een groot huis geen geld
heeft.
Nu begon hij te klagen over de levensmiddelen
die hij ... vond en over allerlei andere dingen.   *die erg veel kosten*
Zijn klachten lieten mij .... Daarom zei ik: 'Nu   *maakten absoluut geen*
moet u eens ophouden met klagen, oom.'   *indruk*
Maar opeens zat oom ... en keek mij met   *hij bewoog helemaal niet*
een ... blik aan. De tranen stonden hem in de   *zeer bedroefde*
ogen toen hij zei: 'Straks blijf ik ... achter, als   *heel erg eenzaam*
tante er niet meer is. Wat zal ik mij dan eenzaam
voelen.'
Ik kreeg medelijden met hem en had spijt van
mijn woorden. Ik begon zelf bijna te huilen.
Intussen kwam er een ... lucht opzetten.   *heel donkere*
Ik ging haastig weg, want ik wilde op het station
zijn voordat het ging onweren. Maar onderweg
barstte de bui los, dus ik werd ....   *heel erg nat*
Ik kwam ... thuis en ging daarom meteen slapen.   *zeer moe*

10 Mondeling of schriftelijk

> Engeland was er al vóór er Engelsen waren. China bestond eerder dan de
> Chinezen en België bestond al vóór de Belgen (tekst 1)
> Dit verhaal gaat niet over de Nederlanders, maar over Nederland. (tekst 1)

\+ *Hoe noem je een man uit Nederland?*
\− *Een man uit Nederland noem je een Nederlander.*

1 Hoe noem je een man uit Engeland?

2 Hoe noem je een man uit China?
3 Hoe noem je een man uit Amerika?
4 Hoe noem je een man uit Duitsland?
5 Hoe noem je een man uit Frankrijk?

+ *Hoe noem je een vrouw uit Nederland?*
− *Een vrouw uit Nederland noem je een Nederlandse.*

6 Hoe noem je een vrouw uit Amerika?
7 Hoe noem je een vrouw uit Italië?
8 Hoe noem je een vrouw uit Duitsland?
9 Hoe noem je een vrouw uit Engeland?
10 Hoe noem je een vrouw uit Portugal?

+ *Hoe noem je mensen uit Nederland?*
− *Mensen uit Nederland noem je Nederlanders.*

11 Hoe noem je mensen uit Indonesië?
12 Hoe noem je mensen uit Turkije?
13 Hoe noem je mensen uit Frankrijk?
14 Hoe noem je mensen uit België?
15 Hoe noem je mensen uit Marokko?

11 Grammatica

> Dat zijn vragen waarop men niet met zekerheid kan antwoorden. (tekst 1)
> Storm, dat is mijn mooiste ervaring in Nederland. (tekst 4)

'Dat' als voorlopig onderwerp.
'Dat' als voorlopig onderwerp wordt onder andere gebruikt als het echte
onderwerp een substantief is.
Het substantief staat vaak na een vorm van het werkwoord 'zijn'.
Het echte onderwerp bepaalt of het werkwoord in de singularis of in de pluralis
staat:
Dat zijn vragen waarop men niet kan antwoorden.
Storm, dat is mijn mooiste ervaring.
Dat zijn vast Nederlanders.
Dat is vast een Nederlander.

12 Spreekoefening

+   *Denk je dat die mensen uit Nederland komen?*
−   *Ja, dat zijn vast Nederlanders.*

13 Grammatica

Wat voor soort mensen zijn de Nederlanders? Het zijn mensen die ....
(tekst 1)

'Het' als voorlopig onderwerp.
In plaats van 'dat' als voorlopig onderwerp (zie 11) kan men ook 'het'
gebruiken.
'Het' als voorlopig onderwerp wordt onder andere gebruikt wanneer het echte
onderwerp een substantief is.
Het substantief staat meestal na een vorm van het werkwoord 'zijn'.
Het echte onderwerp bepaalt of het werkwoord in de singularis of in de pluralis
staat:
Het zijn mensen die ...
Het is een aardige man.

14 Spreekoefening

+   *Die man is aardig, hè?*
−   *Ja, het is een aardige man.*

15 Luisteroefening

Weerbericht anders

Luister naar de cassette en vul de weggelaten woorden in.

'Wij begrijpen geen bal van het ...', schrijft de psycholoog W.A. Wagenaar
van het Instituut voor Zintuigfysiologie van T.N.O.* in Soesterberg.
Als de radio ... 'matige ...', vindt een derde van de ... dat zwakke .... Een

ander deel vindt het dan hard .... Niemand komt op het ... dat het hier om ...
van 20 kilometer per uur ...' Wagenaar pleit voor een simpeler .... Woorden
als '...' en '...' treffen de mensen eerder in hun ziel dan 'een omvangrijk
lagedrukgebied'.

Voor vandaag ... we dan ook: Soms even ..., misschien even .... In ieder
geval jas mee. Het wordt niet ... en het ... behoorlijk. De was kan ... drogen,
maar je moet er wel bij ... om de spullen op ... binnen te halen. Plan om het
weekend naar het strand te gaan? Vergeet het .... Wat ze in ... te veel hebben,
komen wij bij ... tekort, verdomme!

* T.N.O. = Toegepast Natuurwetenschappelijk Onderzoek.

16 Leesoefening

Hieronder volgt een aantal werkwoorden die iets over het weer zeggen.
Het subject is altijd 'het'.
Welk werkwoord met 'het' (de zinnen 1 tot en met 11) hoort bij welke
omschrijving (de zinnen a tot en met k)?

1	het dooit	7	het sneeuwt
2	het hagelt	8	het stormt
3	het is mooi weer	9	het waait
4	het mist	10	het vriest
5	het onweert	11	het ijzelt
6	het regent		

a   Kijk eens, de straten zijn nat.
b   Voel je wel, er is een beetje wind.
c   We gaan maar niet met de auto weg, want je ziet bijna niets.
d   Ik zie het weerlichten en ik hoor het rommelen.
e   Ze zeggen dat we windkracht 11 hebben.
f   Zie je, er staat water op het ijs.
g   Wat schijnt de zon lekker en de lucht is helemaal blauw.
h   Dit is geen regen meer. En wat maakt het een lawaai tegen de ruiten.
i   O kijk, er ligt ijs op de sloot.
j   Wat mooi! Alles wordt helemaal wit.
k   O jee, de regen bevriest op straat. Pas op, het wordt spiegelglad.

17 Luister- en schrijfoefening 🔲

Luister op de cassette naar 'Dan het weeroverzicht' en beantwoord de volgende vragen.

1 Waarom was het die dag vooral in Twente zo prettig?
2 Hoe weten wij dat de zon die dag in Roemenië niet geschenen heeft?
3 Waarom moesten de mensen in Zuid-Duitsland een dikke jas aan als zij uitgingen?
4 In welke streken scheen de zon evenmin?
5 In welke landen hadden ze die dag bijna net zulk weer als in Nederland?
6 Waar ontstond er een nieuw hogedrukgebied?
7 Moesten de mensen die de volgende dag uitgingen, wel of geen paraplu meenemen?
8 In welke streek van Nederland verwachtte men voor de volgende dag het warmste weer?
9 Een dag of twee later verwachtte men een lage temperatuur. Uit welke woorden blijkt dat?

18 Luisteroefening 🔲

U hoort op de cassette weerbericht a en weerbericht b.
De vraag is op welke seizoenen deze weerberichten betrekking hebben.
Weerbericht a heeft betrekking op ...
Weerbericht b heeft betrekking op ...

19 Tekst

Aardrijkskunde van Nederland

Nederland is een klein land. Het ligt in West-Europa. Het grenst in het oosten aan Duitsland en in het zuiden aan België. In het westen en in het noorden ligt het aan de Noordzee.
Nederland is een heel vlak land. Het heeft helemaal geen bergen en het heeft nauwelijks heuvels. Een gedeelte van het land ligt zelfs onder de zeespiegel. Tot dat gedeelte behoort ook de luchthaven Schiphol.
Hoewel het land een uniforme indruk maakt, is het landschap niet overal hetzelfde. Friesland bijvoorbeeld is een waterrijke provincie, die watersporters

volop de gelegenheid biedt van hun sport te genieten.

In het westen van Nederland vindt men polders. Dat zijn stukken land die tussen dijken liggen. Waar nu polders zijn was vroeger water. In het verleden pompten molens het water weg, maar tegenwoordig gebeurt dat meestal elektrisch.

De jongste provincie van Nederland, Flevoland, is zo'n polder. Vroeger was daar nl. de Zuiderzee. Het gedeelte dat van de Zuiderzee is overgebleven heet het IJsselmeer.

Ten oosten van Utrecht verandert het landschap weer. Daar, en in het zuiden van Nederland vindt men zandgrond met bossen. Limburg is de meest heuvelachtige provincie van Nederland. Het Drielandenpunt in deze provincie – dat is het punt waar Nederland, België en Duitsland samenkomen – is het hoogste punt van Nederland. Het is maar liefst 300 meter hoog.

De provincie Zeeland bestond vroeger voornamelijk uit eilanden. Op 1 februari 1953 kwamen deze eilanden voor een groot deel onder water te staan. Deze ramp, waarbij 1834 mensen om het leven kwamen, maakte duidelijk dat er iets moest gebeuren. Zo ontstond toen het zgn. Deltaplan. Als onderdeel van het Deltaplan werden de eilanden door dammen met elkaar verbonden en werden verschillende zeegaten afgesloten.

Amsterdam is de hoofdstad van Nederland, maar de regering zetelt in Den Haag. Rotterdam is bekend om zijn haven. Utrecht en Maastricht behoren tot de oudste steden van Nederland, maar Leiden heeft de oudste universiteit.

Nederland heeft een guur en regenachtig klimaat. Dat betekent dat het er vaak koud en nat is. Daarom speelt het sociale leven zich meer thuis af dan op straat. Maar er zijn natuurlijk ook veel dagen waarop de zon heerlijk schijnt en de mensen naar buiten gaan.

20 Mondeling en schriftelijk

a   Maak ten minste 10 vragen over tekst 19 'Aardrijkskunde van Nederland'. Vraag bij voorbeeld naar de ligging van Nederland, naar de grenzen, het landschap, het klimaat, de steden, etc.

b   Vertel iets over de aardrijkskunde van uw eigen land.

c   Schrijf een stukje over de aardrijkskunde van uw eigen land.

d Schrijf een stukje waarin u vooral wijst op de verschillen tussen de aardrijkskunde van uw eigen land en de aardrijkskunde van Nederland.

21 Spreekoefening

Bekijk de kaart van Nederland en geef aan waar de onderstaande plaatsen liggen.
Gebruik hierbij woorden als: in het zuiden, in het noordoosten, in het midden, etc.

Voorbeeld:
+ *Waar ligt Den Haag?*
− *In het westen.*

1	Waar ligt Eindhoven?	5	Waar ligt Amsterdam?
2	Waar ligt Groningen?	6	Waar ligt Maastricht?
3	Waar ligt Rotterdam?	7	Waar ligt Zwolle?
4	Waar ligt Arnhem?	8	Waar ligt Hilversum?

9   Waar ligt Lelystad?   11 Waar ligt Noord-Brabant?
10 Waar ligt Den Bosch?

* De officiële naam is 's-Hertogenbosch maar men gebruikt meestal Den Bosch.

22 Spreekoefening

Bekijk de kaart van Nederland en geef antwoord op de volgende vragen.
Gebruik in uw antwoord de formulering: ten ... van.

Voorbeeld:
+ *Waar ligt België ten opzichte van Nederland?*
− *België ligt ten zuiden van Nederland.*

1   Waar ligt Duitsland ten opzichte van Nederland?
2   Waar ligt de Noordzee ten opzichte van Nederland?
3   Waar ligt Utrecht ten opzichte van Rotterdam?
4   Waar ligt Hilversum ten opzichte van Utrecht?
5   Waar ligt Zwolle ten opzichte van Amersfoort?
6   Waar ligt Noord-Holland ten opzichte van Zuid-Holland?
7   Waar ligt Friesland ten opzichte van de provincie Groningen?

23 Tekst

Toerisme in Nederland

Buitenlandse toeristen die Nederland voor de eerste keer bezoeken, zien in het
algemeen andere dingen dan de Nederlanders, maken vaak andere opmerkingen
dan de Nederlanders en raken in de war door dingen die Nederlanders gewoon
vinden.
Ze komen in een land waarvan ze de taal niet spreken, waar ze de weg niet
weten, waarvan ze het openbaar vervoer niet begrijpen en het geld niet kennen.
In de ene hand een tas, in de andere een reisgids en verder nog een camera die
op de buik hangt.
Vaak gaan ze eerst naar de balie van een VVV-kantoor, waar men dagelijks
moeite doet om Nederland te verklaren aan mensen die niet in Nederland
wonen, maar die naar het leven in Nederland informeren.
Buitenlandse toeristen die op doorreis Nederland bezoeken hebben, zoals
bekend, vaak enige moeite met het formaat van ons land. Als men van oost naar

west of van noord naar zuid reist, kan men binnen vier à vijf uur weer in het buitenland zijn. Deze gedachten vinden vooral Amerikanen verbazingwekkend. Buitenlanders gaan meestal naar dezelfde attracties zoals het Openluchtmuseum in Arnhem, het Rijksmuseum in Amsterdam, de Deltawerken, het museum Kröller-Müller in het nationale park De Hoge Veluwe en naar steden zoals Delft, Volendam en Alkmaar.

Maar er zijn enkele uitzonderingen. Russen bezoeken graag Zaandam omdat tsaar Peter de Grote daar in 1697 en 1698 een tijdlang op een scheepswerf heeft gewerkt en Amerikanen gaan nog wel eens op zoek naar het dorpje dat zij uit de verhalen van hun ouders kennen, want vandaar zijn ooit hun Nederlandse voorouders naar de nieuwe wereld vertrokken.

Vrij naar een artikel van Folkert Jensma in NRC Handelsblad.

24 Lees- en schrijfoefening

Hieronder volgt in wat andere woorden maar met dezelfde inhoud de tekst van 23 'Toerisme in Nederland'.

In deze tekst zijn woorden weggelaten. Vul een of meer woorden in. Kies een mogelijkheid die past bij de inhoud. Soms zijn verschillende mogelijkheden correct.

Voorbeeld:
Sommige dingen vinden buitenlanders ...
Sommige dingen vinden buitenlanders raar/vreemd/merkwaardig/
verbazingwekkend, enzovoort.

Heel veel buitenlandse toeristen ... ons land.
Sommige dingen, ... Nederlanders gewoon vinden, vinden zij ... .
De meeste toeristen spreken geen ... .
Ze weten de ... niet.
En van bussen en trams ... zij niets.
Ook ... zij het geld niet.
Je ziet overal toeristen met een ... , een ... en een ... lopen.
Meestal gaan zij eerst naar de VVV om ... te vragen, want de VVV is er vooral om mensen te helpen ... niet in Nederland wonen, dus hier als ... zijn.
Buitenlandse toeristen vinden het maar ... dat Nederland zo'n ... land is.
Als men van Oldenzaal naar Hoek van Holland, of van Groningen naar Maastricht ... , duurt de ... niet langer dan ... .

Zoiets vinden ... Amerikanen raar.

Buitenlanders ... meestal dezelfde excursies.

Zij gaan ...   ... het Openluchtmuseum in Arnhem, het Rijksmuseum in Amsterdam, de Deltawerken, het museum Kröller-Müller in het nationale park De Hoge Veluwe en naar steden zoals Delft, Volendam en Alkmaar.

Maar sommige ... doen wat anders.

Russen ... graag naar Zaandam, omdat daar het huisje staat waar tsaar Peter de Grote in 1697 en in 1698 ... heeft, toen hij daar op een scheepswerf ... .

Amerikanen proberen het dorpje te ... waarover hun ouders ... hebben, omdat die vanuit dat dorpje naar Amerika zijn ... .

25 Grammatica

> Er zijn een paar dingen die als een paal boven water staan (tekst 1).
> Nederland is het enige land dat door mensen is gemaakt (tekst 1).

Het relatief pronomen 'die' en 'dat'.
Een relatief pronomen verwijst naar een zaak of een persoon waarover eerder in de zin al is gesproken.
'Die' verwijst naar
a   een de-woord in de singularis
b   alle substantieven in de pluralis.

'Dat' verwijst naar een het-woord in de singularis.

De-woord in de singularis:
De man *die* daar staat, is mijn vader.
De tafel *die* ik hier zie, is rond.

Substantief in de pluralis:
De mensen *die* in deze straat wonen, zijn aardig.
De boeken *die* ik nu lees, zijn interessant.

Het-woord in de singularis:
Het huis *dat* daar achter die bomen staat, is te koop.
Het meisje *dat* daar loopt, is mijn zusje.

Het relatief pronomen wordt gevolgd door een bijzin. In een bijzin staat het werkwoord of staan de werkwoorden aan het einde.

23

De man die daar *staat*, is mijn vader.

De mensen die daar *wonen*, zijn aardig.

Het huis dat daar achter die bomen *staat*, is te koop

De tafels die je in deze winkel *kunt kopen*, zijn duur.

Het boek dat ik vorige week *gelezen heb/heb gelezen*, gaat over China.

26 Schrijfoefening

Vul 'die' of 'dat' in.

De toerist ... Nederland voor de eerste keer bezoekt, gaat naar de VVV.
De toerist die Nederland voor de eerste keer bezoekt, gaat naar de VVV.

1   De stad ... ik het mooiste vind, is Amsterdam.
2   Het ding ... ik gekocht heb, is duur.
3   De opmerkingen ... toeristen over Nederland maken, zijn leuk.
4   De tas ... ik draag, is zwaar.
5   Het Nederlands ... ze in het zuiden spreken verschilt van het Nederlands ... ze in het westen spreken.
6   De mensen ... door Nederland reizen, zijn toeristen.
7   Hij zegt dat het Openluchtmuseum op de Hoge Veluwe staat. – Dat is niet juist. Het museum ... op de Hoge Veluwe staat, is het Kröller-Müller-museum.

27 Schrijfoefening

Vul 'die' of 'dat' in. Let bij de woorden in de singularis goed op of het een de-woord of een het-woord is.

1   Er zijn een paar dingen ... als een paal boven water staan.
2   In een land ... geen bergen heeft, kun je niet skiën.
3   Hij zoekt een secretaresse ... Engels en Nederlands spreekt.
4   Uit een wolk ... helemaal grijs was, viel wat regen.
5   Treinen ... alleen in grote steden stoppen, noemen we intercity-treinen.
6   Ik heb een oom ... met een Amerikaanse getrouwd is.
7   Hij slaapt op een bed ... al tachtig jaar oud is.
8   Mijn vader is een man ... alles kan.

9   Ik woon het liefst in een huis … heel oud is.
10 Wat heb je aan een weerbericht … niet juist is?

28 Spreekoefening

Voorbeeld:
+   *De man heet Kees de Jong.*
−   *De man die ik daar zie heet Kees de Jong.*

29 Mondeling of schriftelijk

Bedenk zelf zinnen.

Voorbeeld:
Een toerist is iemand die …
Een toerist is iemand die in zijn vakantie allerlei plaatsen bezoekt/die
bezienswaardigheden bekijkt, enz.

1   Een leraar is iemand die …
2   Een schilder is iemand die …
3   Een ober is iemand die …
4   Een verkoper is iemand die …
5   Een politieagent is iemand die …
6   Een huisbaas is iemand die …
7   Een telefonist is iemand die …
8   Een loodgieter is iemand die …
9   Een timmerman is iemand die …
10 Een behanger is iemand die …
11 Een verhuizer is iemand die …

30 Grammatica

Dat is het weer waarvan ik houd (tekst 4).

Relatief pronomen + prepositie.

'Die' en 'dat' (zie grammatica 25) kunnen niet verwijzen naar een woord dat voorafgegaan wordt door een prepositie. In dat geval moet 'waar' worden gebruikt, gevolgd door de bijbehorende prepositie.

Vergelijk:
a relatief pronomen *zonder* prepositie:
   De stoel *die* daar staat, is mooi.
   Het huis *dat* we graag willen kopen, is mooi.
b relatief pronomen *met* prepositie:
   Ik zit *op* een stoel.
   De stoel *waarop* ik zit, is mooi.
   Of:
   De stoel *waar* ik *op* zit, is mooi.

   Ik kijk *naar* een programma.
   Het programma *waarnaar* ik kijk, is mooi.
   Of:
   Het programma *waar* ik *naar* kijk, is mooi.

In de relatieve bijzin gebruikt men dus waar + prepositie. Als deze prepositie 'met' is, verandert 'met' in de relatieve bijzin in 'mee'.

Ik schrijf *met* een pen.
De pen *waarmee* ik schrijf, is nieuw.
of:
De pen *waar* ik *mee* schrijf, is nieuw.

Waar + prepositie wordt in principe alleen voor zaken gebruikt.

31 Spreekoefening   ▣

Voorbeeld:
+ *Zit je altijd op dié stoel?*
− *Ja, dat is de stoel* waar *ik altijd op zit.*

'Ja, dat is de stoel waarop ik altijd zit' is ook goed, maar in deze oefening gebruiken we 'waar ... op' omdat dat in de spreektaal gebruikelijker is.

32 Spreekoefening 📼

Dezelfde oefening als oefening 31.

Voorbeeld:
+ *Ben je dol op thee?*
− *Ja inderdaad, thee is iets waar ik dol op ben.*

33 Schrijfoefening

Combineer de volgende zinnen tot één zin. Schrijf 'waar' + prepositie aan elkaar.

Voorbeeld:
+ *Ik rijd in een auto.*
+ *Hij is nieuw.*
− *De auto waarin ik rijd, is nieuw.*

1 Ik rijd in een auto.
   Hij is nieuw.
2 Ik woon aan een rivier.
   Hij is breed.
3 Ik informeer naar een excursie.
   Hij moet interessant zijn.
4 Ik heb voorkeur voor schilderijen van Rembrandt.
   Ze hangen in het Rijksmuseum in Amsterdam.
5 Jullie pleiten voor een idee.
   Niet iedereen vindt het origineel.
6 Ze maken soms foto's met minicamera's.
   Die komen meestal uit Japan.
7 Ik zit op een stoel.
   Hij is kapot.

34 Schrijfoefening

Vul in: waar + prepositie.
Dezelfde oefening als oefening 33.

Voorbeeld:

+ *Ik rijd op een fiets.*
+ *Hij is oud.*
− *De fiets waarop ik rijd is oud.*

1   Ik rijd op een fiets.
    Hij is oud.
2   Zij praat over een probleem.
    Het is moeilijk op te lossen.
3   Deze tafel is gemaakt van hout.
    Het komt uit Canada.
4   Zij wonen in een huisje.
    Het is piepklein.
5   Ik ging altijd wandelen met de hond.
    Hij is dood.
6   Ik loop op schoenen.
    Ze zitten niet lekker.
7   Ik moest antwoorden op vele vragen.
    Ze waren te moeilijk voor mij.
8   Ze vertelde over verre landen.
    Ze wilde ze allemaal bezoeken.

35 Schrijfoefening

Vul in: 'die', 'dat' of 'waar' + prepositie.

Voorbeeld:

De stoel ... hier staat is mooi.
De stoel die hier staat is mooi.

Het huis ... ik zie is mooi.
Het huis dat ik zie is mooi.

De stoel ... ik zit is mooi.
De stoel waarop ik zit is mooi.
Of:
De stoel waar ik op zit is mooi.

1   De excursie ... ik gemaakt heb was interessant.
2   Het huisje ... wij praten, staat in Zaandam.

3 Het dorpje ... ik uit de verhalen ken, is heel klein.

4 De kaart ... in het boek staat, is heel duidelijk.

5 De boten ... door de grachten varen, zijn rondvaartboten.

6 Het reisgidsje ... alle informatie staat, is niet duur.

7 De bus ... wij een excursie hebben gemaakt, kreeg een lekke band.

8 De schilderijen ... ik het mooiste vind, hangen in het Rijksmuseum in Amsterdam.

9 Amsterdam is een stad ... ik leuke herinneringen heb.

10 Hier heb ik foto's van Nederland ... jij eens moet kijken.

36 Schrijfoefening

Vul een prepositie in.

1 Ik wil u vertellen ... mijn eerste bezoek ... Nederland.

2 Ik kende Nederland alleen ... de verhalen ... mijn ouders.

3 Daarom ging ik de eerste dag ... de VVV om ... allerlei excursies te informeren.

4 Ze vroegen ... mij waar ik voorkeur ... had.

5 Ik zei dat ik dol was ... water.

6 'Misschien bent u geïnteresseerd ... de Friese meren,' zeiden ze ... mij.

7 Ik was zelf nooit ... dat idee gekomen.

8 De weersverwachting ... de volgende dag was goed.

9 Ik besloot daarom ... een paar nachten een kamer ... een klein pensionnetje ... een dorpje te bespreken.

10 Ik genoot ... het landschap en als ik 's avonds ... mijn tochten was teruggekeerd, zat ik ... de mooie luchten te kijken.

11 ... de verte zag ik dan bootjes die langzaam ... het meer voeren.

12 Het is verbazingwekkend dat je ... Nederland zo ver ... het land kunt kijken.

13 Volgend jaar wil ik ... de vakantie ... Frankrijk, maar misschien kan ik ... doorreis ... Frankrijk nog een paar dagen ... Nederland doorbrengen.

37 Mondeling of schriftelijk

In tekst 4 vertelt de ambassadeur van Turkije over zijn ervaringen met het Nederlandse klimaat.

Vertel nu zelf (of schrijf op) wat uw ervaringen zijn met het Nederlandse klimaat.

38 Tekst 📼

Wat voor weer

Muziek: Harry Bannink
Tekst: Annie M.G. Schmidt
Zang: Conny Stuart

Als ik weg ben voor goed uit dit land,
Als ik woon bij Menton of bij Nice
In een bungalow dicht bij het strand,
Waar het weer niet zo guur is en vies,
Lig ik fijn in de zon op mijn rug,
Om mij heen bloeit de rozemarijn.
Ik wil nooit meer naar Holland terug
En ik denk vaak: hoe zou het daar zijn?
Nog zo nat, nog zo kil?

Wat voor weer zou het zijn in Den Haag?
Zijn de bomen nog kaal op het Voorhout?
Wat voor weer is het daar nou vandaag?
Is het miezerig, mistig en koud?
Zijn de wolken weer laag?
Valt de regen gestaag?
Is lijn 9 er nog zo benauwd?
't Is een vrij overbodige vraag:
Wat voor weer zou het zijn in Den Haag?

Wat voor weer zou het zijn in Den Haag?
Door de wind met wat nevel uit zee?
Op de Denneweg ruikt het nu vaag,
Naar Couperus en ook naar saté.
Zou 't pension er nog zijn,
Op het Valkenbosplein
Met die mensen uit 1902?
Is het leven nog altijd zo traag?

Wat voor weer zou het zijn in Den Haag?

Wat voor weer zou het zijn in Den Haag?
Wisselvallig met telkens een bui?
Wat voor weer is het daar nou vandaag?
Is het weer voor een vest en een trui?
Is er regen vandaag
Waait de wind met een vlaag
Alle voetgangers weg van het Spui?
En duikt iedereen diep in zijn kraag?
Wat voor weer zou het zijn in Den Haag?

Wat voor weer zou het zijn in Den Haag?
Zijn de bomen al groen op het Plein?
O, wat zou ik verschrikkelijk graag
Een moment op het Buitenhof zijn.
Langs de Poten te gaan,
Voor de schouwburg te staan:
't Is niet nodig, maar het lijkt me zo fijn.
Een kwartiertje is al wat ik vraag.
Ik verlang naar m'n eigen Den Haag,
Den Haag... ...Den Haag... mmmw Den Haag.

Les twee – Uitgaan in Nederland

1 Tekst

Wie gaat er uit in Nederland?

De bioscoop is voor volwassenen en jongeren de meest populaire uitgaansmogelijkheid. Op de tweede plaats komt het museum. Voor volwassenen komt op de derde plaats het toneel, voor jongeren het cabaret of het circus.

Deze gegevens blijken uit een onderzoek naar het actief en passief gebruik van cultuurvoorzieningen. De opdracht hiervoor kwam van het ministerie van WVC,* nadat vele culturele organisaties om zo'n onderzoek hadden gevraagd. Uit het onderzoek blijkt bovendien dat ongeveer 3,7 miljoen Nederlanders van zes jaar en ouder in hun vrije tijd één of meer vormen van kunst beoefenen. Men doet het meest aan tekenen, schilderen, werken met textiel en muziek maken, met name zingen.

De onderzoekers constateren dat mensen die actief aan kunst of aan het culturele leven deelnemen, vaker culturele manifestaties bezoeken dan mensen die er niet actief aan deelnemen. Bovendien: hoe hoger het opleidingsniveau is, hoe meer men zich met culturele activiteiten bezighoudt.

Het schijnt echter dat er meer jongeren een culturele hobby hebben dan ouderen. Bijna zestig procent van degenen die een culturele hobby hebben is jonger dan 35 jaar. Hoe ouder men is, hoe minder men concerten, schouwburg en bioscoop bezoekt.

---

* WVC, het ministerie van WVC: het ministerie van Welzijn, Volksgezondheid en Cultuur.

2 Mondeling of schriftelijk

Hieronder volgt een aantal vragen bij tekst 1.

1 Wat is de volgorde van de drie meest populaire uitgaansmogelijkheden
   a voor *volwassenen* b voor *jongeren* (vul ze hieronder in):
   1 ...   1 ...
   2 ...   2 ...
   3 ...   3 ...

2   In regel 5 wordt gesproken van het actief en passief gebruik maken van culturele voorzieningen. Geef een paar voorbeelden van het actief gebruik maken van culturele voorzieningen en een paar voorbeelden van het passief gebruik maken van culturele voorzieningen.

3   In tekst 1 staan enige vormen van kunst. Kunt u er nog meer noemen?

4   In het onderzoek constateert men dat mensen die actief aan kunst of aan het culturele leven deelnemen vaker culturele manifestaties bezoeken dan mensen die op dit terrein niet actief zijn. Waarom is dat zo, denkt u?

3   Mondeling of schriftelijk

U bent ongetwijfeld wel eens een avondje uit geweest (bioscoop, schouwburg, concert, disco, restaurant, circus, sportwedstrijd, kermis).
Vertel of schrijf iets over een avondje uit waaraan u een leuke of slechte herinnering hebt.

4   Schrijfoefening

> Bijna zestig procent van degenen die een culturele hobby hebben is jonger dan 35 jaar (tekst 1).

Het gebruik van 'degene' en 'degenen'.

Voorbeeld:

+   *Sommige mensen hebben geen kaartje. Die mogen niet de zaal in.*
−   *Degenen die geen kaartje hebben, mogen niet de zaal in.*

+   *Iemand heeft zijn portemonnee verloren. Die kan hem bij de balie terugkrijgen.*
−   *Degene die zijn portemonnee verloren heeft, kan hem bij de balie terugkrijgen.*

Herschrijf de volgende zinnen op dezelfde manier.

1   Sommige mensen willen met de excursie mee. Die moeten bij de uitgang wachten.

2 Sommige mensen willen naar Antwerpen naar de schouwburg. Die moeten dat tegen mij zeggen.

3 Iemand heeft een rode auto met kenteken 32 HD 67. Die heeft zijn lichten laten branden.

4 Sommige mensen hebben die film gezien. Die kunnen erover vertellen.

5 Iemand controleert de kaartjes. Die moet goed opletten dat iedereen een plaatsbewijs heeft.

6 Sommige mensen willen niet naar het circus. Die gaan naar de bioscoop.

7 Sommige mensen hebben een culturele hobby. Die gaan vaak naar de schouwburg of naar een concert.

8 Sommige mensen hebben nog niet betaald. Die kunnen dat bij mij doen.

9 Sommige mensen hebben nog geen eten gehad. Die kunnen het nog in de keuken krijgen.

10 Iemand heeft zijn fiets voor de deur gezet. Die moet hem binnenzetten.

5 Grammatica

De onderzoekers constateren dat mensen die actief aan kunst of aan het culturele leven deelnemen, vaker culturele manifestaties bezoeken dan mensen die er niet actief aan deelnemen (tekst 1).

Het gebruik van 'er' + prepositie.
Om het gebruik van 'er' + prepositie te verduidelijken, wijzen we hier eerst nog even op het gebruik van 'hem', 'het', en 'ze' (zie ook oefening 6)

Zie je de boom	Ja, ik zie hem. ('hem' = de boom)
Zie je het huis?	Ja, ik zie het. ('het' = het huis)
Zie je de bomen?	Ja, ik zie ze. ('ze' = de bomen)
Zie je de huizen?	Ja, ik zie ze. ('ze' = de huizen)

'Hem', 'het' en 'ze' kunnen we niet in combinatie met een prepositie gebruiken, wanneer 'hem', 'het' en 'ze' naar zaken verwijzen.
We moeten dan 'er' gebruiken.

Kijk je naar de boom?	Ja, ik kijk ernaar. ('er' = de boom)
Kijk je naar het huis?	Ja, ik kijk ernaar. ('er' = het huis)
Kijk je naar de bomen?	Ja, ik kijk ernaar. ('er' = de bomen)

'Er' en de prepositie vormen samen één woord, wanneer de prepositie direct

achter 'er' staat.
Ik kijk ernaar.
Hij neemt eraan deel.

In lange zinnen zet men 'er' en de prepositie meestal niet direct achter elkaar. In dat geval staat 'er' dichtbij de persoonsvorm en de prepositie zo ver mogelijk achteraan in de zin.

Ga je naar het huis kijken?
Ik ga er morgen met mijn familie naar kijken.
Gisteren hebben Jan en Annie er al naar gekeken.

Neem je actief aan het culturele leven deel?
Ja, ik neem er actief aan deel.
Er zijn veel mensen die er actief aan deelnemen.

Nodig je mij voor het feest uit?
Nee, ik nodig je er niet voor uit.

N.B.
'met' verandert in 'mee':
Mijn pen is leeg. Ik kan er niet meer mee schrijven.

6 Spreekoefening

Het gebruik van 'het', 'hem' en 'ze'.*

Voorbeeld:
+ *Zie je het huis?*
− *Ja, ik zie het.*

+ *Koop je de fiets?*
− *Ja, ik koop hem.*

+ *Zie je de huizen?*
− *Ja, ik zie ze.*

+ *Koop je de fietsen?*
− *Ja, ik koop ze.*

* Herhaling van Help 1, les 5.

7 Spreekoefening ⊡

Voorbeeld:
+ *Kijk je vaak naar de televisie?*
− *Ja, ik kijk er vaak naar.*

+ *Kun je met die pen schrijven?*
− *Ja, ik kan er mee schrijven.*

8 Schrijfoefening

Voorbeeld:
+ *Wat is de functie van een pen?*
− *Je kunt ermee schrijven.*
of:
− *Je kunt er een brief mee schrijven.*
of:
− *Je kunt er iets mee schrijven.*

1   Wat is de functie van een stoel?
2   Wat is de functie van een tafel?
3   Wat is de functie van een bord?
4   Wat is de functie van een lepel?
5   Wat is de functie van een la?
6   Wat is de functie van een fiets?
7   Wat is de functie van een bed?
8   Wat is de functie van een bureau?
9   Wat is de functie van een glas?
10 Wat is de functie van een fornuis?

9 Mondeling of schriftelijk

Voorbeeld:
+ *Heb je zin om vanavond mee naar een concert te gaan?*
− *Nou, het hangt ervan af.*
   (popconcert … symfonieconcert… of een ander soort concert, naar keuze)
− *Als je naar een popconcert wil, ga ik graag mee.*
− *Als je naar een symfonieconcert wil, heb ik geen zin om mee te gaan.*

of:

— *Als je naar een symfonieconcert wil, ga ik graag mee, maar als je naar een popconcert wil, heb ik geen zin om mee te gaan.*

1 Heb je zin om mee naar de bioscoop te gaan?
  Nou, ...
  (western... tekenfilm... of een ander soort film, naar keuze)
  Als ...   maar als ...

2 Heb je zin om mee naar de schouwburg te gaan?
  Nou, ...
  (modern toneelstuk... klassiek toneelstuk... of een ander toneelstuk, naar keuze)
  Als ...

3 Heb je zin om mee naar Amsterdam te gaan?
  Nou, ...
  (Rijksmuseum... door de stad lopen... of iets anders, naar keuze)
  Als ...

4 Heb je zin om mee in de stad te gaan eten?
  Nou, ...
  (pannekoeken... chinezen... of iets anders, naar keuze)
  Als ...

5 Heb je zin om mee te gaan wandelen?
  Nou, ...
  (in de stad ... in de bossen... of ergens anders, naar keuze)
  Als ...

6 Heb je zin om mee naar Den Haag te gaan?
  Nou, ...
  (het Mauritshuis... Madurodam... of een andere bezienswaardigheid, naar keuze)
  Als ...

10 Tekst

Op naar Antwerpen

Nederlanders denken vaak dat ze in cultureel opzicht meer te bieden hebben dan de Belgen. Toch gaan heel wat Nederlanders naar Antwerpen voor een avondje Vlaams toneel.
Van de Antwerpse theaterbezoekers blijkt namelijk 3,4% uit Nederland te

komen. Tot dit resultaat kwamen twee studenten die onderzoek hebben gedaan naar theaterbezoek in Antwerpen.

In hun onderzoek hebben deze studenten zich afgevraagd of theater elitair is, of de toneelliefhebbers van binnen of van buiten de stad komen en wat ze voor de kost doen. Ze hebben zich ook afgevraagd of vrouwen meer belangstelling hebben voor toneel dan mannen.

Scholing is bijna een noodzakelijke voorwaarde om tot de culturele elite te kunnen behoren. Ongeveer 50% van de theaterbezoekers heeft hoger of universitair onderwijs gevolgd. De jongeren tot 25 jaar laten het afweten. De vrije beroepen eveneens. Het aantal 65-plussers is sinds 1971 echter bijna verdubbeld. Er gaan meer vrouwen dan mannen naar het toneel.

Ondanks het grote aantal hooggeschoolden onder de theaterbezoekers, ziet men in de schouwburg ook veel winkel- en kantoorpersoneel en leraren. Ook steeds meer huisvrouwen zien in de voorstellingen kennelijk een prettig verzetje. Dat geldt ook voor werklozen. Daarentegen is nauwelijks één op de twintig bezoekers ambtenaar of arbeider.

Iets meer dan de helft van alle bezoekers komt van buiten Groot-Antwerpen. En, heel opvallend: de bereidheid om verder te reizen voor een avondje toneel neemt evenredig toe met het opleidingsniveau.

Vrij naar een artikel in De Telegraaf

11 Mondeling of schriftelijk

1 In tekst 1 en tekst 10 staat het resultaat van een onderzoek naar het uitgaansleven. De onderzoekers in tekst 1 komen tot een resultaat dat tegenovergesteld is aan het resultaat genoemd in tekst 10. Welk resultaat?
2 Welke onderzoekers hebben volgens u gelijk, die genoemd in tekst 1 of die genoemd in tekst 10? Verklaar zo mogelijk uw antwoord.
3 Over welke onderzoeksresultaten zijn de onderzoekers van tekst 1 en tekst 10 het wel eens?

12 Schrijfoefening

Herschrijf tekst 10 'Op naar Antwerpen'. Gebruik waar nodig een andere zinsconstructie.

Voorbeeld:

+ *Nederlanders denken in cultureel opzicht ...*

  ...   *de Belgen.*

− *Nederlanders denken in cultureel opzicht **meer te bieden te hebben dan** de Belgen.*

+ *Dat neem niet weg ...*

  ...   *Vlaams toneel.*

  *Dat neemt niet weg **dat heel wat Nederlanders naar Antwerpen gaan voor een avondje** Vlaams toneel.*

1 Het blijkt dat ...   komt.
   Dat is het resultaat van een onderzoek.
2 De onderzoekers vragen zich af ...   is,
   ...   komen, ...   doen.
3 Het blijkt dat ...   te kunnen behoren.
4 Het blijkt dat ...   gevolgd.
5 Maar het blijkt ook dat ...   afweten.
   De vrije beroepen eveneens.
6 Sinds 1971 ...   verdubbeld.
7 Het staat vast dat er ...   gaan.
8 Men ziet ...   leraren.
9 Kennelijk ...   verzetje.
10 Het blijkt dat ...   is.
11 Van alle bezoekers ...   buiten Groot-Antwerpen.
12 Het is heel opvallend dat ...   met het opleidingsniveau.

13 Luisteroefening 📼

U hoort op de cassette 10 gesprekjes. Na ieder gesprekje hoort u een vraag. Beantwoord de vragen.

1
2
3
4
5

6
7
8
9
10

14 Grammatica

De studenten hebben zich afgevraagd wat ze voor de kost doen (tekst 10).
Ze hebben zich ook afgevraagd of vrouwen meer belangstelling hebben
voor toneel dan mannen (tekst 10).

Indirecte vraagzin
Ik vraag waar hij tegenwoordig woont.
Kunt u mij vertellen of hij in Amsterdam woont?

Deze zinnen zijn indirecte vraagzinnen.
Een indirecte vraagzin is een vraagzin die afhangt van of verband houdt met een
hoofdzin.
Een indirecte vraagzin komt na een vraagwoord (bij voorbeeld: wie, wat
welk(e), wat voor (een), waar, waar...naartoe, waar...heen, waar... vandaan,
hoe, hoeveel, waarom, wanneer) of na de conjunctie 'of'.
De indirecte vraag is een bijzin. In een bijzin staat het werkwoord of staan de
werkwoorden aan het einde:

Ik vraag waar hij nu *woont*.
Ik weet niet of ik iets voor u *kan doen*.
Kunt u mij zeggen wanneer hij *geboren is/is geboren?*

Behalve indirecte vraagzinnen zijn er ook directe vraagzinnen
(zie Help 1, les 3).

Vergelijk:
Directe vraagzin   : Waar woont hij nu?
Indirecte vraagzin   : Ik vraag waar hij nu woont.

Directe vraagzin   : Wat doet hij tegenwoordig?
Indirecte vraagzin   : Kunt u mij vertellen wat hij tegenwoordig doet?

Directe vraagzin	:	Woont hij in Amsterdam?
Indirecte vraagzin	:	Kunt u mij zeggen of hij in Amsterdam woont?
Directe vraagzin	:	Wat doen ze voor de kost?
Indirecte vraagzin	:	De studenten hebben zich afgevraagd wat ze voor de kost doen.
Directe vraagzin	:	Hebben vrouwen meer belangstelling voor toneel dan mannen?
Indirecte vraagzin	:	Ze hebben zich afgevraagd of vrouwen meer belangstelling hebben voor toneel dan mannen.

15 Spreekoefening

Indirecte vraagzinnen met vraagwoorden en met de conjunctie 'of'.

Voorbeeld:
+ *Hoe laat is het?*
+ *Ik weet het niet*
− *Weet u niet hoe laat het is?*

16 Spreekoefening

Indirecte vraagzinnen.
Situatie: Er zijn net twee buitenlandse toeristen in Nederland aangekomen. Zij weten nog weinig van de situatie in Nederland. De ene toerist stelt steeds een vraag aan de andere toerist. U doet alsof u de andere toerist bent.

Voorbeeld:
+ *Wat is er in Rotterdam te zien?*
− *Ik heb geen idee wat er in Rotterdam te zien is.*

17 Luister- en schrijfoefening

U hoort nu dezelfde vragen als in de vorige oefening (16). Probeer de vragen te beantwoorden.

1
2
3
4
5
6
7
8
9
10

18 Spreekoefening

Indirecte vraagzinnen met vraagwoorden en met de conjunctie 'of'.

Voorbeeld:

+ *Gaat Jan vanavond naar de bioscoop?*
− *Ik weet niet of Jan vanavond naar de bioscoop gaat.*

+ *Met wie gaat Annie vanavond naar de bioscoop?*
− *Ik weet niet met wie Annie vanavond naar de bioscoop gaat.*

19 Schrijfoefening

In de zinnen van onderstaande teksten zijn een of meer woorden weggelaten.
Het weggelaten gedeelte staat achter iedere zin.
Vul in de zin het weggelaten gedeelte in.
Het eerste woord van iedere zin moet op dezelfde plaats blijven staan. Dus u
moet uw zinnen beginnen met 'Een', 'Ze', 'Ze', 'Aan' enzovoorts.

a Uit eten

1	Een man en een vrouw wilden een avondje uit.	een keer
2	Ze besloten te gaan eten.	ergens
3	Ze zochten op de menukaart een diner uit.	heerlijk ˙
4	Aan het einde van de maaltijd vraagt de ober:	aan hen
5	'Mevrouw, meneer, heeft het gesmaakt?'	u

6   'Nou,' zegt de man, 'ik heb wel eens lekkerder   eerlijk gezegd
    gegeten.'
7   Waarop de ober zegt: 'Maar niet hier!'   zonder aarzeling

b   Nederland won

1   Ik ben voor het eerst van mijn leven naar een   vandaag
    voetbalwedstrijd geweest.
2   Samen met mijn broer, die vaak naar het voetballen   heel
    gaat.
3   'Voetballen is niks voor meisjes,' zei ik, maar hij   grote
    vond dat onzin.
4   Dus ging ik mee.   met hem
5   Het was een interland: Nederland speelde een   thuis
    vriendschappelijke wedstrijd tegen Italië.
6   We hadden staanplaatsen, geen zitplaatsen. 'Echte   altijd
    voetbalfans vind je op de staantribunes,' zei mijn
    broer.
7   Voor het begin speelde een harmonie de   van de wedstrijd
    volksliederen.
8   Het publiek zong het Wilhelmus mee.   uit volle borst
9   Toen het lied uit was, hoorde je een enorm gebrul.   in het stadion
10 'Wat een lekker sfeertje, hè,' schreeuwde mijn   in mijn oor
    broer.
11 Na het Italiaanse volkslied klonk er boe-geroep.   overal
12 'Waarom roepen ze boe-boe?' vroeg ik.   aan mijn broer
13 Maar mijn broer zei dat ik niet moest zeuren.   zo
14 Het Nederlands elftal speelde in oranje shirts en   ook
    witte broeken, de Italianen in blauwe shirts en in
    witte broeken.
15 De scheidsrechter was in het zwart.   helemaal
16 'Dat oranje past mooi bij het groen van de grasmat,'   heel
    zei ik tegen mijn broer.
17 'Waar past dat oranje mooi bij?' riep mijn broer.   die me niet verstond
18 'Bij het groen,' riep ik.   terug

19	Maar mijn broer lette al niet meer op mijn antwoord en schreeuwde met duizenden andere toeschouwers: AANVALLEN!
	samen
20	Op een gegeven moment dacht ik: nu stort het stadion in elkaar.
	hele
21	Er klonk een enorm gebrul, iedereen stak de armen omhoog en begon te springen.
	namelijk
22	'Wat gebeurt er?' vroeg ik aan mijn broer.
	verbaasd
23	'Hij zit,' schreeuwde mijn broer, 'een goal. Het is nu 1-0!'
	met hese stem
24	'Voor wie?' vroeg ik.
	onzeker
25	'Voor wie? Godallemachtig. Jij weet niet wie er gescoord heeft?'
	zojuist
26	'Ik keek even naar die jongen links van mij,' zei ik.
	net
27	'Jij keek naar een jongen? Jij keek niet naar het veld? Scheidsrechter een gele, nee een rode kaart voor deze dame hier.'
	ik vergis me
28	Hij zei het lachend, want hij was blij met dat doelpunt.
	veel te
29	Nederland won met 3-1. Dat zei mijn broer tenminste.
	de wedstrijd

20 Grammatica

> Dat oranje past mooi bij het groen van de grasmat, zei ik tegen mijn broer.
> Waar past dat oranje mooi bij? riep mijn broer.
> Bij het groen, riep ik. (tekst oefening 19)

Vraagzinnen met 'waar' + prepositie.

a   'Waar' + prepositie in een directe vraagzin.

Om het gebruik van vraagzinnen met 'waar' + prepositie te verduidelijken volgt hier eerst nog een voorbeeld van een vraagzin met 'wat' (zie ook Help 1, les 3)
'Wat' vraagt naar zaken:
Ik zie een huis.
Wat zie je?

'Wat' in combinatie met de meeste preposities verandert in 'waar'. 'Waar' en de prepositie worden meestal gesplitst. De prepositie staat zo ver mogelijk aan het einde van de vraagzin.
Ik kijk naar het huis.
Waar kijk je naar?
Het oranje past bij de grasmat.
Waar past het oranje bij?

De prepositie kan gevolgd worden door een infinitief:
Ik wil vanavond naar een programma kijken.
Waar wil je vanavond naar kijken?

De prepositie kan gevolgd worden door een participium van het perfectum:
Ik heb gisteren naar een programma gekeken.
Waar heb je gisteren naar gekeken?

De prepositie kan gevolgd worden door het prefix van een scheidbaar werkwoord:
Ik nodig je voor het feest uit.
Waar nodig je me voor uit?

'Met' in combinatie met 'waar' verandert in 'mee':
Ik eet met een vork.
Waar eet je mee?

Hierboven staat dat 'waar' en de prepositie meestal worden gesplitst. Als 'waar' en de prepositie niet worden gesplitst, worden ze als één woord geschreven.
Ik kijk naar die hoge bomen.
Waarnaar kijk je?

b   *'Waar' + prepositie in een indirecte vraagzin (zie 14).*

Hij kijkt naar iets.
Ik weet niet waar hij naar kijkt.

Ik schrijf de brief met die pen.
Ik vraag waar je de brief mee schrijft.

'Waar' in combinatie met een prepositie is net als andere vraagzinnen een bijzin in een indirecte vraag.

21 Spreekoefening

Voorbeeld:

+ *Ik zit op die rode stoel*
− *Waar zit je op?*
+ *Op die rode stoel.*

22 Spreekoefening

Voorbeeld:

+ *Ik heb de chocolaatjes op de schaal gelegd.*
− *Waar heb je de chocolaatjes op gelegd?*
+ *Op de schaal.*

23 Mondeling of schriftelijk

Maak een vraag met 'waar' + prepositie. Bedenk zelf de prepositie.

a   Voorbeeld:
+ *Ik zit te wachten.*
− *Waar wacht je op?*

1   Ik zit te denken.
2   Ik zit te kijken.
3   Ik zit te lachen.
4   Ik zit te luisteren.
5   Ik zit te genieten.
6   Ik zit te spelen.
7   Ik zit te praten.

b   Voorbeeld:
+ *Ik wil Jan uitnodigen.*
− *Waar wil je Jan voor uitnodigen?*

1   Ik moet Jan opbellen.
2   Ik heb een stuk papier nodig.
3   Ik word moe.
4   Ik moet een opstel schrijven.

5   Ik moet hier nog wennen.

24 Spreekoefening ⌷▭⌷

Het gebruik van 'niet' en 'geen'.*

Voorbeeld:
+   *Mevrouw, mag ik op de eerste rij zitten?*
−   *Nee, het spijt me. U mag niet op de eerste rij zitten.*

* Herhaling van Help 1, les 3.

25 Spreekoefening ⌷▭⌷

Het gebruik van 'geen meer' en 'niet meer'.

Voorbeeld:
+   *Ober, is er nog een tafeltje vrij?*
−   *Nee, het spijt me, er is geen tafeltje meer vrij.*

26 Tekst

De boot

Toen ik Karel vroeg waarom hij zich niet aan onze afspraak had gehouden, zei hij dat hij gisteren naar Vlissingen was geweest.
'Was dat dan zo belangrijk?'
'Ja, dat was heel belangrijk.'
'Maar waarom heb je me niet gebeld?'
'Dat heb ik geprobeerd, maar je was niet thuis.'
'Niet thuis? Ik ben precies een kwartier van huis geweest. Om brood te kopen. En nadat ik brood had gekocht, ben ik weer meteen naar huis gegaan. Hoe vaak heb je geprobeerd me te bellen?'
'Een keer. Vaker kon niet want ik had het te druk met mijn nieuwe boot.'

En toen vertelde hij dat hij in de krant een advertentie had gezien, meteen met de eigenaar had gebeld, een kwartier later naar Vlissingen was vertrokken en daar een boot had gekocht.

'En dat vind ik belangrijker dan onze afspraak, begrijp je? Wat was trouwens onze afspraak?'
'We zouden gaan hardlopen.'
'O ja. Nou, ik weet niet hoe jij erover denkt, maar ik vind een boot kopen belangrijker.'
'Misschien.'
'Wat nou misschien. Doe toch niet zo kinderachtig. Hardlopen kunnen we iedere dag.'
'Ik vind: een afspraak is een afspraak.'
'Ach man, schei toch uit. Ik wil helemaal niet meer met jou hardlopen. Loop jij maar alleen.'
'En ga jij maar dag en nacht op je nieuwe boot zitten. Dan word je nog dikker dan je nu al bent.'
Toen ik dat had gezegd, werd Karel heel boos.
'Dik,' riep hij, 'ik ben helemaal niet dik. Jij bent dik. Alles is bij jou dik. Zelfs je bril.'

27 Grammatica

> Hij zei dat hij gisteren naar Vlissingen was geweest (tekst 26).
> Hij vertelde dat hij in de krant een advertentie had gezien (tekst 26).

Het plusquamperfectum/voltooid verleden tijd (V.V.T.)
'Was geweest' en 'had gekocht' noemen we een plusquamperfectum.
Hieronder volgt het plusquamperfectum van hebben, zijn, kopen en gaan.

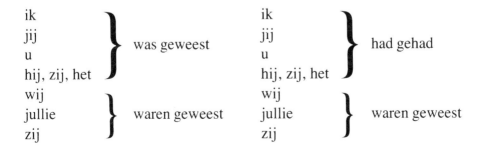

ik, jij, u, hij, zij, het } was geweest
wij, jullie, zij } waren geweest

ik, jij, u, hij, zij, het } had gehad
wij, jullie, zij } waren geweest

ik			ik		
jij	}	had gekocht	jij	}	was gegaan
u			u		
hij, zij, het			hij, zij, het		
wij			wij		
jullie	}	hadden gekocht	jullie	}	waren gegaan
zij			zij		

Zoals u ziet, bestaat het plusquamperfectum uit het imperfectum (O.V.T.) van
'hebben' of 'zijn', gevolgd door het participium van het perfectum.

imperfectum	participium	imperfectum	participium
was	geweest	had	gehad
waren	geweest	hadden	gehad
had	gekocht	was	gegaan
hadden	gekocht	waren	gegaan

In de zin: 'Hij vertelde dat hij een boot had gekocht' gebruiken we een
plusquamperfectum. Waarom?
In deze zin staan twee feiten: 'iets vertellen' en 'een boot kopen'. Beide feiten
vinden plaats in het verleden, maar in deze volgorde: eerst 'het kopen van de
boot' en daarna 'het vertellen'.
Daarom gebruikt men voor 'het kopen van de boot' het plusquamperfectum en
voor 'het vertellen' het imperfectum of het perfectum.

Na de conjunctie 'nadat' komt meestal een plusquamperfectum:
Nadat ik brood had gekocht, ben ik meteen naar huis gegaan.
Hij stapte in de trein nadat hij een kaartje had gekocht.

De conjunctie 'toen' kan dezelfde betekenis hebben als 'nadat'. In dat geval
gebruikt men ook na 'toen' meestal het plusquamperfectum:
Toen ik dat had gezegd, werd Karel heel boos.
Toen hij zijn huiswerk had gemaakt, ging hij buiten spelen.

N.B.
In de zinnen die hierboven in het plusquamperfectum staan is de volgorde:

1 imperfectum	2 participium:
was	geweest
had	gehad
hadden	gekocht

waren	gegaan

De volgorde

1 participium	2 imperfectum is echter ook correct:
geweest	was
gehad	had
gekocht	hadden
gegaan	waren

Hij vertelde dat hij een boot had gekocht/gekocht had.
Hij zei dat hij naar Vlissingen was geweest/geweest was.
Toen hij zijn huiswerk had gemaakt/gemaakt had, ging hij buiten spelen.

28 Spreekoefening 🔲

Voorbeeld:
+ *Ik ben naar Vlissingen geweest.*
+ *Zij vertelde*
− *Zij vertelde dat zij naar Vlissingen was geweest.*

U kunt ook zeggen: 'Zij vertelde dat zij naar Vlissingen geweest was'.
In deze oefening gebruiken we de volgorde: was geweest.

29 Luister- en spreekoefening 🔲

+ *Agnes vertelde mij zaterdagmorgen dat ze vrijdagavond haar been had gebroken.*
+ *Wanneer vertelde Agnes dat ze haar been had gebroken?*
− *Zaterdagmorgen.*
+ *Wanneer heeft Agnes haar been gebroken?*
− *Vrijdagavond.*

30 Schrijfoefening

Maak van de volgende twee zinnen één zin. Gebruik 'toen'.

Voorbeeld:
de trein vertrekt – het perron is leeg

Toen de trein vertrokken was, was het perron leeg.

hij betaalt – hij verlaat het café
Toen hij betaald had, verliet hij het café.

1 hij leest de krant – hij gaat televisie kijken
2 zij schrijft de brief – zij doet hem in een enveloppe
3 zij tankt – zij rijdt weer verder
4 de zon verdwijnt achter de wolken – het wordt donker
5 hij vindt de sleutel – hij kan de kast weer openmaken
6 hij denkt een ogenblik na – hij zegt: ik doe het
7 het lukt hem ergens geld te lenen – hij kan een eigen zaak beginnen
8 zij vult het formulier in – zij stuurt het naar het gemeentehuis
9 zij leest het boek – zij brengt het terug naar de bibliotheek

31 Schrijfoefening

Maak de volgende zinnen af.

Voorbeeld:
Nadat hij een douche had genomen …
Nadat hij een douche had genomen, ging hij naar bed.

1   Zij ging televisie kijken nadat …
2   Nadat hij zijn vrouw naar het station had gebracht, …
3   Nadat hij zichzelf in de spiegel had bekeken, …
4   Nadat de film afgelopen was, …
5   Hij dronk een borrel nadat …
6   Zij verlieten de camping nadat …
7   Zij mocht van de agent weer doorrijden nadat …
8   Hij kocht een huis nadat …
9   Nadat zij haar dochtertje naar school had gebracht, …
10 Zij begon een eigen kledingzaak nadat …

32 Vocabulaire-oefening

Noem het beroep.
Gebruik, waar mogelijk, de mannelijke en de vrouwelijke vorm.
Gebruik, als het nodig is, een woordenboek.

Voorbeeld:

Iemand die liederen zingt is een ...
Iemand die liederen zingt is een zanger/zangeres.

1   Iemand die in een toneelstuk speelt is een ...
2   Iemand die in een film speelt is een ...
3   Iemand die muziek als beroep heeft is een ...
4   Iemand die schilderijen maakt is een ...
5   Iemand die op een molen werkt is een ...
6   Iemand die een race-auto bestuurt is een ...
7   Iemand die in een circus optreedt is een ...
8   Iemand die op het toneel goochelkunsten laat zien is een ...
9   Iemand die op het toneel grappen vertelt is een ...
10 Iemand die in een ballet danst is een ...
11 Iemand die als bedrijf een boerderij heeft is een ...
12 Iemand die onderzoek doet is een ...

33 Mondeling of schriftelijk

Lekker uitgaan in Nederland

33a

> **De Efteling, een paradijs voor genieters**
> Als u in de Efteling bent, weet u bijna niet waar u het eerst naar toe zult
> gaan. Er is zo veel te beleven. Zowel jong als oud kan hier genieten van
> spannende en romantische avonturen. Voor de een zijn dat de muzikale
> paddestoelen, voor de ander het kabbelende water rond de gondoletta.
> Het familiepark is sprookjesachtig en spookachtig. Het sprookjesbos, de
> wieg van de Efteling, is in bijna veertig jaar uitgegroeid tot een park van
> wereldformaat.
> U had nooit kunnen dromen Roodkapje, Sneeuwwitje, Doornroosje en
> Assepoester in levenden lijve tegen te komen.

Opdracht 1
Geef in één zin weer wat het belangrijkste is dat je in de Efteling kan doen.
Begin de zin met: 'In de Efteling...' of 'Je moet naar de Efteling om ... te
zien'.

Opdracht 2

In les 4 (36) kunt u het sprookje van Roodkapje lezen. In de Efteling komt u haar tegen. Daar zijn meer sprookjes te zien. U kent zelf vast ook wel een paar sprookjes.

Vertel een van die sprookjes of schrijf er een in uw eigen woorden op.

33b

Madurodam

Rondwandelen in het dwergenland. Alle beroemde gebouwen van Nederland in het klein zien. Genieten van een wereldberoemde miniatuur-show. Dat kan in Madurodam, het kleinste stadje van Nederland.

U vindt er polders, bruggen, kanalen, molens, sluizen en havens. U vindt er een vliegveld en een compleet spoorwegbedrijf. U vindt er fabrieken, kerken en theaters. Alles op precies één vijfentwintigste van de ware grootte. Madurodam in Den Haag: stad en land in miniatuur.

N.B. Geen honden.

Opdracht 1

Geef in één zin weer wat het belangrijkste is dat u in Madurodam kunt zien.

Opdracht 2

U hebt kunnen lezen dat in Madurodam honden verboden zijn. Bent u het daar wel of niet mee eens? Verklaar uw antwoord.

33c

Safaripark Beekse Bergen

In Safaripark Beekse Bergen leven honderden wilde dieren in een schitterend natuurgebied van maar liefst 100 hectare. Met de safaribus doorkruist u het Safaripark. Daar kunt u door een echte jungle wandelen, waar meer dan 60 aapjes spelen, stoeien, vechten of hun jonkies vertroetelen.

Tijdens de safaribustocht trekken zebra's, tijgers, kamelen, struisvogels, olifanten, leeuwen, giraffen, hyenahonden, gnoes en heel veel andere dieren aan uw oog voorbij. En zo is er nog veel meer te beleven.

Opdracht 1
Geef in één zin weer wat er in Safaripark Beekse Bergen te zien is.

Opdracht 2
In dit stuk worden 10 dieren genoemd. Welke zijn dat?

Opdracht 3
Noem nog een paar andere dieren.

Opdracht 4
Wat vindt u van een safaripark in een dichtbevolkt land als Nederland?

33d

Het Openluchtmuseum in Arnhem

In het Openluchtmuseum kun je er een idee van krijgen hoe mensen, met name op het platteland, vroeger woonden. Je vindt er onder andere naast boerderijen en molens ook eenvoudige hutten.

Het museum schenkt ook enige aandacht aan de stadsbewoner en aan de arbeider en zijn behuizing.

Men kan een kijkje nemen in oude woonkeukens. Men kan er zien hoe de bakker in zijn met takkebossen gestookte oven brood bakte en hoe de molenaar de wind benutte om zijn korenmolen te laten draaien.

Om alles te kunnen zien zijn er wandelroutes uitgezet van twee en vier uur.

Opdracht 1
Geef in één zin een samenvatting van de tekst over het Openluchtmuseum.

Opdracht 2
Waarom doet u er goed aan bij mooi weer naar het Openluchtmuseum te gaan?

Opdracht 3
Is er in uw land ook zo'n soort museum?

Opdracht 4
Vindt u het belangrijk om te weten hoe de mensen vroeger leefden?
Verklaar uw antwoord.

Opdracht 5
Vindt u dat oude boerderijen, oude molens, oude huizen bewaard moeten blijven, ook als ze geen enkele functie meer hebben?
Waarom vindt u dat?

33e

> **Verkeerspark Assen**
> Verkeerspark Assen is de grootste en modernste verkeerstuin van Europa. Spelenderwijs leert jong en oud hier de verkeersregels.
> Op het behendigheidscircuit kan men zijn rijvaardigheid testen. Stap in voor een uitstapje per auto, trein of boot.
> Op het verkeerscircuit waan je jezelf een echte coureur en stuur je je auto door scherpe bochten en door het water. Je test je reactiesnelheid, inzicht en stuurvastheid. Elk stuurfoutje wordt elektronisch geregistreerd.
> In het automuseum kun je de glorie van vroeger bewonderen.
> Er is ook een speeltuin. Ja, er is eigenlijk zo veel te doen dat je je pannekoek haast zou vergeten.

Opdracht 1
Geef in één zin een samenvatting van het stukje over het Verkeerspark Assen.

Opdracht 2
In de verkeerstuin in Assen zijn er verschillende mogelijkheden om actief aan het verkeer deel te nemen. Er zijn ook een paar dingen waarbij dit niet zo is. Welke zijn dat?

Opdracht 3
Vindt u een verkeerspark zoals dat in Assen nuttig? Waarom? Waarom niet?

Opdracht 4
U hebt in het voorafgaande informatie gehad over De Efteling, Madurodam, Safaripark Beekse Bergen, het Openluchtmuseum in Arnhem en het Verkeerspark Assen.
Teken een kaartje van Nederland en geef op dat kaartje aan waar deze zes uitgaansmogelijkheden liggen (als deze attracties niet in een grote plaats liggen, teken dan op het kaartje de dichtstbijzijnde grote plaats).

34 Mondeling of schriftelijk

Iemand gaat naar de VVV en vraagt:

+ *Ik wou graag oude boerderijen zien. Kan dat ergens?*

Het antwoord is:

− *Als u oude boerderijen wilt zien, moet u naar het Openluchtmuseum gaan.*

Antwoord op dezelfde manier, dus met: Als … moet u …
Kies voor uw antwoord uit:

− Het Openluchtmuseum
− Safaripark Beekse Bergen
− De Efteling
− Madurodam
− Het verkeerspark Assen

1 Ik wou graag oude boerderijen zien. Kan dat ergens?
2 Ik wou graag het leven van wilde dieren bekijken. Kan dat ergens?
3 Ik wou graag in een sprookjesbos spannende avonturen beleven. Kan dat ergens?
4 Ik wou graag heel Nederland in één keer zien. Kan dat ergens?
5 Ik wou graag mijn rijvaardigheid testen. Kan dat ergens?
6 Ik wou graag een oude bakkerij zien. Kan dat ergens?
7 Ik wou graag een vliegveld in het klein zien. Kan dat ergens?
8 Ik wou graag aapjes zien spelen. Kan dat ergens?
9 Ik wou graag oude auto's zien. Kan dat ergens?

35 Spreekoefening

Hieronder staan twee gegevens:
a De Nachtwacht van Rembrandt.
b Het Rijksmuseum in Amsterdam.

Leerling a vraagt:
a *Ik wou graag de Nachtwacht van Rembrandt zien. Kan dat ergens?*
Leerling b antwoordt:
b *Als je de Nachtwacht van Rembrandt wilt zien, moet je naar het Rijksmuseum in Amsterdam gaan.*

Behandel op dezelfde manier de onderstaande gegevens.

1 a De Nachtwacht van Rembrandt.
   b Het Rijksmuseum in Amsterdam.
2 a Het Vredespaleis.
   b Den Haag.
3 a Het paleis op de Dam.
   b Amsterdam
4 a Het museum Kröller-Müller
   b Het park 'De Hoge Veluwe'.

Bedenk nu zelf nog een aantal attracties, in Nederland en buiten Nederland:

5 a
   b
6 a
   b
7 a
   b
8 a
   b
9 a
   b
10 a
   b

36 Spreekoefening 📼

Voorbeeld:
+ *Hoe zagen de hutten er vroeger uit?*
− *In het Openluchtmuseum kun je zien hoe de hutten er vroeger uitzagen.*

Begin uw antwoord steeds met: In het Openluchtmuseum kun je zien...

37 Vocabulaire-oefening

Hoe (+ comparatief) ... hoe (+ comparatief).

Voorbeeld:
+ *goed*

+ *Hoe meer je oefent, hoe ... het gaat.*
− *Hoe meer je oefent, hoe beter het gaat.*

Vul in de zinnen hieronder een van de volgende woorden in:

vlug	prettig	veel	bruin
dik	vol	goed	
mager	hoog	gezellig	

1 Hoe harder je loopt, hoe ... je thuis bent.
2 Hoe minder je eet, hoe ... je wordt.
3 Hoe warmer het is, hoe ... ik het vind.
4 Hoe vroeger je opstaat, hoe ... je kunt doen.
5 Hoe meer toeristen er komen, hoe ... de hotels worden.
6 Hoe meer je eet, hoe ... je wordt.
7 Hoe meer mensen er komen, hoe ... ik het vind.
8 Hoe harder ik werk, hoe ... het resultaat wordt.
9 Hoe kouder het is, hoe ... de verwarming staat.
10 Hoe langer je in de zon ligt, hoe ... je wordt.

38 Schrijfoefening

Hoe (+ comparatief) ... hoe (+ comparatief).

Voorbeeld:
+ *Als je vaak naar de radio luistert, kun je het Nederlands beter begrijpen.*
− *Hoe vaker je naar de radio luistert, hoe beter je het Nederlands kunt begrijpen.*

1 Als je vaak naar de radio luistert, kun je het Nederlands beter begrijpen.
2 Als het mooi weer is, gaan de mensen minder naar de bioscoop.
3 Als het buiten warm is, zitten er meer mensen op een terrasje.
4 Als de voorstelling populair is, is het moeilijker kaartjes te krijgen.
5 Als een artiest bekend is, moeten ze hem meer betalen.
6 Als je hier lang bent, weet je meer van de Nederlandse gewoontes.
7 Als je vaak naar Amsterdam gaat, weet je er beter de weg.
8 Als je vaak naar een museum gaat, begin je de schilderijen mooier te vinden.
9 Als je veel excursies hebt gemaakt, kun je meer over Nederland vertellen.
10 Als het 's avonds laat wordt, lopen er minder mensen op straat.

11 Als het koud wordt, moet je je dikker aankleden.
12 Als er veel toeschouwers naar een voetbalwedstrijd komen, verdient een club meer geld.

39 Luisteroefening 🔘

Luister naar de cassette en beantwoord de volgende vragen.

1 Wat is waar en wat is niet waar?
  a Rob en Hans hebben geen van beiden eerder in een Chinees restaurant gegeten.
  b Rob heeft wel eerder in een Chinees restaurant gegeten.
  c Hans heeft wel eerder in een Chinees restaurant gegeten.

2 Wat is waar en wat is niet waar?
  a Rob en Hans weten precies wat ze bestellen.
  b Rob en Hans bestellen zo maar iets.

3 Wat doen Rob en Hans met de sambal?
  a Ze kijken er alleen maar naar.
  b Ze doen er een beetje van over hun eten.
  c Ze steken ieder een volle lepel sambal in hun mond.

4 Waarom huilt Hans?
  a Omdat Rob niet overleden is.
  b Omdat zijn schoonvader overleden is.
  c Omdat zijn vader overleden is.

40 Mondeling of schriftelijk

Vertel in uw eigen woorden het verhaal over Hans en Rob na of geef er een schriftelijke samenvatting van.

Les drie – De massamedia

1 Tekst 📼

Pers, radio en televisie

Vrijwel alles wat de mens van de gebeurtenissen in de wereld weet, weet hij via de pers, de radio en de televisie, de zogenaamde massamedia. Zonder deze informatie kan de mens in de moderne maatschappij niet goed functioneren. Massamedia houden zich niet alleen bezig met nieuwsverspreiding en de vergroting van onze kennis, maar ook met ontspanning.

6   Hoewel de massamedia met het bewegende beeld en het geluid zich een belangrijke plaats in onze samenleving hebben verworven, blijven kranten en tijdschriften van even groot belang. Radio en televisie stellen ons onmiddellijk op de hoogte van het allerlaatste nieuws, terwijl kranten en tijdschriften in het algemeen meer achtergrondinformatie bevatten.

Radio en televisie aan de ene kant, en de pers aan de andere kant, vullen elkaar dus aan.

Kranten en tijdschriften zijn niet aan elkaar gelijk. Omroeporganisaties evenmin. Elke omroep, elke krant, elk tijdschrift heeft zijn eigen identiteit. Ze verschillen van elkaar door het accent dat ze op bepaalde gebeurtenissen leggen, door de keuze van aandachtspunten en niet in de laatste plaats door het uitdragen van een bepaald levensbeschouwelijk of politiek beginsel.

Welke informatie voor ons persoonlijk van belang is, hangt van onze behoefte en belangstelling af. Wij hebben de vrijheid om onze eigen keuze te bepalen. We hebben de vrijheid om te zeggen: dat lees ik, daar kijk ik naar, daar luister ik naar.

2 Leesoefening

Hieronder volgen een paar vragen die betrekking hebben op tekst 1 (Pers, radio en televisie). Beantwoord deze vragen.

1   Waarom vindt men massamedia belangrijk?
   a Omdat de mens alleen iets via de massamedia weet.
   b Omdat ze ons informatie geven die noodzakelijk is om goed in deze tijd te kunnen leven en werken.

c Omdat de gebeurtenissen in de wereld niet altijd in de krant staan.

2   Wat bedoelt men met: de massamedia met het bewegende beeld en het geluid (regel 6)?
   a De radio en de televisie.
   b De televisie en de bioscoop.
   c De videoband en de radio.
   d De videoband en de geluidscassette.

3   Waarom vullen radio en televisie aan de ene kant, en kranten en tijdschriften aan de andere kant, elkaar aan?
   a Omdat zowel radio en televisie als kranten en tijdschriften van even groot belang zijn.
   b Omdat niet alleen radio en televisie, maar ook kranten en tijdschriften ons onmiddellijk op de hoogte stellen van het allerlaatste nieuws.
   c Omdat wij via radio en televisie het nieuws heel snel weten en kranten en tijdschriften soms dieper op de zaken ingaan.

4   Wat bedoelt men met: de eigen identiteit van krant, tijdschrift of omroep?
   a Ieder medium gaat uit van een ander principe.
   b Ieder medium legt het accent op wereldnieuws.
   c Ieder medium legt het accent op het vergroten van kennis.

3   Mondeling of schriftelijk

Massamedia houden zich niet alleen bezig met nieuwsverspreiding en de vergroting van kennis, maar ook met ontspanning.
Hieronder volgen enkele titels van televisieprogramma's. Ieder programma behoort tot een of meer van de hierbovengenoemde categorieën.
Geef aan tot welke categorie of categorieën ieder programma behoort en leg uw antwoord uit.

1   Zicht op Israël. Programma over het land, het volk en de toekomst van Israël.
2   NOS-journaal.
3   Kleine Isar. Nederlandse tekenfilm.
4   Liever sportiever. Consument gericht programma over wintersport.
5   Hier en nu. Actualiteitenrubriek.
6   Studio sport.

7   Als Lotte onzichtbaar wordt. Deense serie.
8   Teleac. Help! Programma voor hulpverleners.

4   Vocabulaire-oefening

Vul in onderstaande zinnen een van de volgende woorden in. Ieder woord komt
één keer voor. Zet, zo nodig, de woorden in de juiste vorm.

aanvullen   afhangen   beeld   belang   belangstelling
bevatten   evenmin   functioneren   gebeurtenis   geluid
in het algemeen   keuze   onmiddellijk   ontspanning
op de hoogte   pers   verschillen   via   vrijwel

1   Zulke ernstige ... komen maar al te vaak voor.
2   Naar sport kijken is voor mij ....
3   Jan is erg theoretisch ingesteld, terwijl Annie veel praktischer is. Zij ...
     elkaar dus goed ....
4   Het is van het grootste ... dat iedereen de verkeersregels goed kent.
5   ... iedereen in Nederland heeft televisie.
6   Ik kan de televisie niet repareren en mijn broer kan het ....
7   Je kunt vanuit Amsterdam met de trein ... Gouda naar Rotterdam.
8   ... ... houd ik niet van quizprogramma's, maar deze keer vond ik
     het toch wel leuk.
9   Met ... lees ik iedere week je artikel in de krant.
10 Wat een raar ... maakt die machine. Zou hij kapot zijn?
11 Het ... van het resultaat van mijn examen ... of ik mag gaan studeren.
12 Ik zie dat u haast heeft. Ik zal u ... helpen.
13 Dit boek ... allerlei artikelen over beroemde Nederlandse kunstenaars.
14 Ik was er niet van ... ... dat jullie wilden vergaderen en daarom was
     ik er niet.
15 Deze twee apparaten ... niet veel van elkaar.
16 Wat zijn er veel soorten videorecorders te koop. Het is moeilijk een ... te
     maken.
17 Het ... is zo slecht. Je kunt bijna niets zien. Het lijkt net alsof het sneeuwt.
18 De ... en de televisie hebben veel aandacht besteed aan het bezoek van de
     koningin.
19 Onze nieuwe collega ... goed binnen ons team.

5 Grammatica

> Daar kijk ik naar. (Tekst 1)
> Daar luister ik naar. (Tekst 1)

Het gebruik van 'daar' + prepositie.
Om het gebruik van 'daar' + prepositie te verduidelijken, kijken we eerst naar het gebruik van 'die' en 'dat' in plaats van een substantief dat eerder genoemd is.

Voorbeeld:
Heb je die film gezien?
Ja, die heb ik gezien.

Heb je dat boek gelezen?
Ja, dat heb ik gelezen.

'Die' en 'dat' in combinatie met de meeste proposities veranderen in 'daar'. Dit gebeurt in principe alleen wanneer het over zaken gaat.

'Daar' en de prepositie worden, vooral in de spreektaal, meestal gesplitst.
De prepositie staat dan zo veel mogelijk aan het einde van de zin.

'Daar' kan aan het begin van een hoofdzin staan: dan is 'daar' een inversiecommando. 'Daar' kan echter ook een andere plaats innemen dan aan het begin van een hoofdzin. In dat geval staat 'daar' meestal zo dicht mogelijk na de persoonsvorm.

Voorbeeld:
Kijk je vaak naar het jeugdjournaal?
Ja, daar kijk ik heel vaak naar.
of:
Ja, ik kijk daar heel vaak naar.

Heb je veel van de cursus geleerd?
Ja, daar heb ik veel van geleerd.
of:
Ja, ik heb daar veel van geleerd.

De prepositie 'met' verandert in 'mee'.

Schrijf je altijd met die pen?

Ja, daar schrijf ik altijd mee.

of:

Ja, ik schrijf daar altijd mee.

Wanneer 'daar' + prepositie niet gesplitst worden, wordt 'daar' + prepositie als één woord geschreven.

Kijk je vaak naar het jeugdjournaal?

Ja, ik kijk vaak daarnaar.

6   Schrijfoefening

Daar + prepositie.

Vul in: daar + prepositie. Schrijf 'daar' en de prepositie niet aan elkaar.

Voorbeeld:

+   *Deze stoel is kapot. ... kun je niet ... zitten.*

−   *Deze stoel is kapot. Daar kun je niet op zitten.*

1   Het journaal vind ik altijd erg interessant. ... kijk ik meestal ....

2   Ik weet niet hoe laat de laatste trein naar Amsterdam gaat, maar ... ga ik ... informeren.

3   Wat duurt het lang voordat de bus komt. ... kan ik niet ... wachten.

4   Ik heb wel een pen, maar die is bijna leeg. ... kun je niet goed meer ... schrijven.

5   Ik wil mijn kamer verven en... komt mijn broer me ... helpen.

6   Ik weet niet veel van geschiedenis, maar ... weet Hilda veel ....

7   Ik moet mijn kamer schoonmaken, maar ... heb ik geen zin ....

8   Ik zal alle brieven wel versturen. ... hoef je geen zorgen ... te hebben.

9   Zij geeft ter ere van haar verjaardag een feest. ... heeft ze honderd mensen ... uitgenodigd.

7   Spreekoefening   ⟦▭⟧

Daar + prepositie.

Voorbeeld:

+   *Ben je dol op thee?*

— *Ja, daar ben ik dol op.*

8 Spreekoefening 🔲

Daar + prepositie.

Voorbeeld:
+ *Kun je op die stoel zitten?*
— *Nee, daar kan ik niet op zitten.*

9 Luisteroefening 🔲

De krant in Nederland

Gesprek tussen Paola uit Italië en Jeroen uit Nederland.

Luister op de cassette naar het gesprek tussen Paola en Jeroen en beantwoord onderstaande vragen.

1 Waarom denkt Paola dat de Nederlanders niet veel kranten lezen?
2 Waarom hoeven de meeste Nederlanders niet iedere dag een krant te kopen?
3 Hoe krijgen de meeste abonnees hun krant?
4 Op welke krant is Jeroen nu geabonneerd?
5 Waarom wil Jeroen twee kranten lezen?
6 Welke is de meest gelezen krant in Nederland?
7 Waarom abonneert Jeroen zich niet op de Telegraaf?
8 Welke politieke richting heeft de Volkskrant?
9 Welke politieke richting heeft de Telegraaf?
10 Wie lezen vooral Trouw?
11 Wat voor kranten bestaan er naast de landelijke dagbladen?
12 Waarom lezen sommige mensen naast een landelijke krant nog een andere krant?
13 Hoeveel keer per week verschijnen de Nederlandse dagbladen?
14 Wat voor kranten kun je in Nederland op zondag kopen?

10 Grammatica

Je vergist je. (tekst Luisteroefening 9)
Waarom abonneer je je daar dan niet op? (tekst Luisteroefening 9)
De Telegraaf richt zich meer op het bedrijfsleven. (tekst Luisteroefening 9)

Het reflexief pronomen
Het reflexief pronomen verwijst naar het subject van de zin.
Dat betekent: het subject is dezelfde persoon of zaak die door het reflexief pronomen wordt aangeduid.

Vergelijk:
wassen   : Ik was het kind.
zich wassen: Ik was me (zelf).

subjectvorm	reflexief pronomen
ik	me/mij
jij	je
u	zich
hij, zij, het	zich
wij	ons
jullie	je
zij	zich

Sommige werkwoorden hebben altijd een reflexief pronomen. Zo'n werkwoord is 'zich vergissen'. Dus 'vergissen' zonder reflexief pronomen bestaat niet.

Hier volgt de vervoeging van 'zich vergissen'.

praesens	imperfectum
ik vergis me/mij	ik vergiste me/mij
jij vergist je	jij vergiste je
u vergist zich	u vergiste zich
hij, zij, het vergist zich	hij, zij, het vergiste zich
wij vergissen ons	wij vergisten ons
jullie vergissen je	jullie vergisten je
zij vergissen zich	zij vergisten zich

perfectum	plusquamperfectum
ik heb me/mij vergist	ik had me/mij vergist
jij hebt je vergist	jij had je vergist
u hebt zich vergist	u had zich vergist
hij, zij, het heeft zich vergist	hij, zij, het had zich vergist
wij hebben ons vergist	wij hadden ons vergist
jullie hebben je vergist	jullie hadden je vergist
zij hebben zich vergist	zij hadden zich vergist

De plaats van het reflexief pronomen in de zin.

a   Hoofdzin zonder inversie:
het reflexief pronomen staat in principe na de persoonsvorm.
Ik vergis me.
Je vergist je.
Ik kan me vergissen.
Ik heb me vergist.
Ik ga me binnenkort op de Volkskrant abonneren.

b   Hoofdzin met inversie:
het reflexief pronomen staat in principe na het subject.
Vergis je je?
Waarom vergis ik me?
Straks vergis je je.
Waarom abonneer je je daar dan niet op?

c   In een bijzin:
het reflexief pronomen staat in principe na het subject.
Ik hoop dat je je niet vergist.
Hij is boos omdat hij zich heeft vergist.

Soms kunnen woordjes als 'het', 'hem', 'haar', 'ze' en 'er' tussen de persoonsvorm en het reflexief pronomen staan.
Hij heeft er zich in vergist.
Ik heb het me herinnerd.

11 Spreekoefening

Reageer met:
Ja, je vergist je (want) ...
Nee, je vergist je niet (want) ...

N.B.
Onderstaande zinnen hebben betrekking op de luistertekst bij oefening 9: De krant in Nederland.

Voorbeeld:
+ *Nederlanders lezen niet veel de krant hè, of vergis ik me nou?*
− *Ja, je vergist je, want Nederlanders lezen in het algemeen wel veel de krant.*
Of:
− *Ja, je vergist je. De meeste Nederlanders lezen vaak de krant.*
Etc.

+ *Er zijn in Nederland tamelijk weinig krantenkiosken hè, of vergis ik me nou?*
− *Nee, je vergist je niet. Je ziet in Nederland inderdaad weinig krantenkiosken.*
Etc.

1 De meeste Nederlanders zijn op een krant geabonneerd hè, of vergis ik me nou?
2 De krant komt meestal over de post hè, of vergis ik me nou?
3 Jeroen gaat zich op de Volkskrant abonneren hè, of vergis ik me nou?
4 Jeroen leest twee ochtendbladen hè, of vergis ik me nou?
5 De Volkskrant is de meest gelezen krant in Nederland hè, of vergis ik me nou?
6 De Volkskrant is vooral interessant voor welzijnswerkers hè, of vergis ik me nou?
7 Nederland heeft een officiële regeringskrant hè, of vergis ik me nou?
8 Trouw is een avondblad hè, of vergis ik me nou?
9 Nederland heeft ook regionale dagbladen hè, of vergis ik me nou?
10 De plaatselijke dagbladen in Nederland staan op een hoog peil hè, of vergis ik me nou?
11 In de plaatselijke kranten staat alleen het plaatselijke nieuws hè, of vergis ik me nou?
12 Nederland kent geen zondagskrant hè, of vergis ik me nou?

13 Op zondag kun je in Nederland nergens een krant kopen hè, of vergis ik me
nou?

12 Schrijfoefening

Jeroen heeft aan Paola het een en ander verteld over de dagbladen in Nederland
(luisteroefening 9).
Schrijf nu zelf een gesprek waarin iemand u vragen stelt over de kranten in uw
eigen land en waarin u op die vragen antwoord geeft.

13 Spreekoefening

Dezelfde opdracht als in 12, maar nu mondeling.
Stel elkaar vragen over de krant in uw eigen land.

14 Schrijfoefening

Deze oefening gaat over het reflexief pronomen (zie 10 grammatica). Zet in de
onderstaande zinnen het reflexief pronomen en het werkwoord op de juiste
plaats.
Gebruik het juiste reflexief pronomen en zet het werkwoord in de juiste vorm.

Voorbeeld:
zich verheugen:
ik op het feest
Ik verheug me op het feest.

1   zich verkleden:
    De kinderen hadden als Indianen
2   zich inspannen:
    De leraar praat zo zacht. Je moet om hem te verstaan
3   zich vermaken:
    Ik heb altijd wat te doen. Ik kan thuis goed
4   zich vervelen:
    Misschien was het saai bij ons. Ik hoop dat u niet bij ons hebt
5   zich verbazen:
    De buitenlanders erover dat Nederland geen zondagskranten heeft

6   zich zenuwachtig maken:
    Waarom toch zo over het examen? Je slaagt vast wel.
7   zich zorgen maken:
    Alles komt in orde. U hoeft
8   zich schamen:
    Ik dood dat ik onze afspraak vergeten heb
9   zich interesseren:
    Ik erg voor de orgels in de Nederlandse kerken.
10 zich verdiepen:
    De minister heeft nog geen beslissing genomen over de aanleg van een
    aantal nieuwe wegen. Hij wil eerst beter in de verkeersproblemen
11 zich snijden:
    Ik zie dat u in uw hand hebt
12 zich ergeren:
    Iedere dag komt Jan tien minuten te laat. Daar kan ik zo aan
13 zich verheugen:
    We gaan morgen met vakantie. Daar wij erg op
14 zich vergissen:
    Ik dacht dat de colleges vandaag begonnen. Maar dat is niet zo. Ik heb in de
    dag
15 zich pijn doen:
    Het kind huilt omdat het heeft
16 zich bewust zijn van iets:
    Te veel eten is niet goed. Weet je dat? Ja, ik ben daarvan

15 Spreekoefening 🔲

Voorbeeld:
+   *Ik heb me voor de cursus ingeschreven.*
−   *O ja? Heb je je voor de cursus ingeschreven?*

+   *Wij hebben ons op een krant geabonneerd.*
−   *O ja? Hebben jullie je op een krant geabonneerd?*

16 Tekst

Documentaires op dinsdagavonden

De NOS-televisie gaat met ingang van het nieuwe tv-seizoen wekelijks op dinsdagavond op een vast tijdstip een uur lang documentaire films uitzenden. Dit zei een woordvoerder van de Afdeling Informatieve Programma's van de NOS-televisie.

Hij noemde de kans op een nieuwe bloeiperiode van de Nederlandse documentaire reëel. Hij zag bovendien grote mogelijkheden om aan geld voor dergelijke produkties te komen. Omdat het NOS-budget niet geheel toereikend is om per jaar 52 Nederlandse documentaires te financieren, zal men ook films in het buitenland moeten kopen. Het NOS-initiatief zou ook andere zendgemachtigden op dezelfde gedachten kunnen brengen. Ze zullen waarschijnlijk denken dat ze niet bij de NOS kunnen achterblijven.

Vrij naar: Algemeen Dagblad.

17 Schrijfoefening

Oefening bij tekst 16 'Documentaires op dinsdagavonden'.
Vul een verbindingswoord in.
Kies tussen: als   daarom   dat (drie ×)   hoewel   of   omdat   maar.

N.B.
– na 'maar' volgt een gewone hoofdzin;
– na 'daarom' aan het begin van een zin volgt een hoofdzin met inversie;
– na 'als', 'dat', 'hoewel', 'of' en 'omdat' volgt een bijzin.

1   Een woordvoerder van de NOS zei ... ze op dinsdagavonden een uur lang documentaire films gaan uitzenden, ... het nieuwe seizoen begint.
2   De woordvoerder deelde mee ... de plannen in een ver gevorderd stadium zijn.
3   Het is de bedoeling ... er vooral veel Nederlandse films op het scherm zullen komen, ... de produktie hiervan veel geld kost.
4   De meeste documentaires zullen Nederlandse produkties zijn, ... ze zullen ook films in het buitenland kopen.
5   Het is echter de vraag ... de totale begroting voldoende is en ... zal men ook films in het buitenland moeten kopen.
6   De andere grote zendgemachtigden, zoals de AVRO, de VARA, de KRO,

de TROS etc., zullen binnenkort waarschijnlijk ook documentaires gaan uitzenden … ze niet bij de NOS willen achterblijven.

18 Mondeling of schriftelijk

In tekst 16 (Documentaires op dinsdagavonden) en in de schrijfoefening die daarna komt (17) kunt u lezen dat er in Nederland veel omroeporganisaties zijn. In tekst 1 (Pers, radio en televisie) staat dat 'elke omroep zijn eigen identiteit heeft', vooral ook 'door het uitdragen van een bepaald levensbeschouwelijk of politiek beginsel'.

Opdracht 1
Schrijf nu op of vertel hoe de radio en de televisie in uw eigen land geregeld zijn.
Bij voorbeeld: Is de staat de baas van de radio en de televisie? Zijn er ook omroeporganisaties? Hoe komen de omroeporganisaties aan geld? Geeft de staat geld aan organisaties die radio- en televisieprogramma's verzorgen of krijgen deze organisaties geld door het maken van reclame? Hoeveel radiostations en televisiekanalen zijn er in uw land?
Zijn er ook regionale stations?

Opdracht 2
Vindt u de radio en de televisie in Nederland beter of slechter dan in uw eigen land? Verklaar uw antwoord.

19 Leesoefening

Het krantebericht van tekst 16 (Documentaires op dinsdagavonden) is een bericht uit het Algemeen Dagblad. Deze tekst is alleen een beetje korter dan de tekst in de krant.
Boven het krantebericht staat 'Documentaires op dinsdagavonden'.
'Documentaires op dinsdagavonden' noemen we een krantekop.
Hier volgt nog een voorbeeld van een krantekop, met daaronder een stukje tekst.

Kerk door brand verwoest

In Hilversum heeft gisteravond in een kerk aan de Dalweg een grote brand gewoed.

Persoonlijke ongelukken deden zich niet voor. De brandweer had het vuur in ruim een uur onder controle. De oorzaak van de brand is nog niet bekend. De kerk is tot de grond toe afgebrand.

Opdracht

Hieronder volgen twee kranteberichten. Na ieder krantebericht staan drie krantekoppen: a, b en c.

Geef aan welke krantekop het beste bij het krantebericht past.

A

De Rotterdamse politie heeft gisteren tegen twee mannen uit Schipluiden proces-verbaal opgemaakt wegens dierenmishandeling.

De mannen vervoerden in een kleine verhuiswagen zes schapen en twaalf lammeren. In deze wagen kregen de dieren maar zeer weinig frisse lucht met als gevolg dat de schapen tijdens de reis overleden.

Het is niet duidelijk wat de twee mannen met de dieren van plan waren.

a   Schapen dood door tekort aan lucht
b   Rotterdamse politie arresteert twee mannen
c   Twee mannen overlijden in verhuiswagen

B

De kapitein van de Liberiaanse tanker die 80 kilometer van de kust olie in de Noordzee loosde, zal niet worden gestraft. De olie – een plantaardige olie – zal vanzelf in zee oplossen, aldus een woordvoerder van de kustwacht in IJmuiden. Een vertegenwoordigster van het milieucentrum Ecomarkt op Texel was hierover zeer verbaasd. Plantaardige olie is namelijk voor zeevogels net zo erg als andere soorten olie, aldus deze woordvoerster.

a   Ongeluk met Liberiaanse tanker
b   Geen straf voor kapitein Liberiaanse tanker
c   Plantaardige olie niet schadelijk voor zeevogels

20 Leesoefening

Maak bij de volgende berichten nu zelf krantekoppen (zie 19).

1   . . . . .
We zijn aan de grens van de hoeveelheid nitraat in ons drinkwater. Nog meer

nitraat zou onaanvaardbaar zijn en zou gaan ten koste van onze volksgezondheid. Vooral baby's tot zes maanden oud moeten in bescherming worden genomen. Zij zijn de meest kwetsbare groep van onze samenleving.

2 . . . . .

De Raad voor de casinospelen vindt dat de overheid niet krachtig genoeg optreedt tegen illegale gokhuizen.

In het illegale circuit gaat jaarlijks 1.040 miljoen gulden om, en 950 miljoen in legale casino's.

Volgens de Raad zijn er te veel mogelijkheden voor illegale casino's en maakt de overheid zich schuldig aan een mistig beleid.

3 . . . . .

De beheerder van een juwelierszaak in Maastricht is gisteravond ernstig gewond geraakt tijdens een gewapende overval. De daders zijn waarschijnlijk twee mannen.

De beheerder kreeg schotwonden in de buik. Hij is in een ziekenhuis in Maastricht opgenomen, waar hij een spoedoperatie heeft ondergaan.

4 . . . . .

In een kerncentrale in de Duitse deelstaat Hessen zijn op 17 december van vorig jaar twee ernstige storingen 15 uur lang onopgemerkt gebleven. De storingen zijn nu pas openbaar gemaakt door een krant in Frankfurt. Daarin stond dat een ventiel niet afgesloten was.

Volgens deskundigen is Duitsland ternauwernood ontsnapt aan een kernramp, zoals die van Tchernobyl.

21 Mondeling of schriftelijk

Een krant is meestal zo dik dat niemand hem helemaal kan lezen. Daarom kijkt men naar de 'koppen' want die geven al een idee waar het artikel of het bericht over zal gaan.

Hieronder volgen een paar koppen, zonder de berichten of de artikelen. Zeg waar volgens u de berichten over gaan.

1   Mooie herfst redt slecht strandseizoen
2   Vrijwilligers gevraagd voor hulp aan dieren
3   Tweetal wil inbreken in woning
4   Doden en gewonden bij verkeersongeval

5   Zakkenrolster door bejaarde vrouw gepakt
6   Overtreding verkeersregels
7   Topdrukte op wegen
8   Minister botst met parlement

22 Schrijfoefening

Radio en televisie aan de ene kant, en de pers aan de andere kant, vullen elkaar aan. (tekst 1)
Kranten en tijdschriften zijn niet aan elkaar gelijk. (tekst 1)

Het reflexief pronomen 'elkaar'.

'Elkaar' betekent: de een en de ander.
Bij voorbeeld: Annie en Jan helpen elkaar.
Dit betekent: Annie helpt Jan en Jan helpt Annie.

'Elkaar' is nooit het subject van de zin. Men gebruikt 'elkaar' als direct object, als indirect object en na een prepositie.

De vorm 'elkaars' betekent: 'van elkaar' en is possessief.

Vul in de onderstaande zinnen 'elkaar' of 'elkaars' in en vul, waar dat nodig is, ook een prepositie in.

Voorbeeld:
+   *Wij geven ... cadeaus.*
−   *Wij geven elkaar cadeaus.*

+   *Wij geven cadeaus ...*
−   *Wij geven cadeaus aan elkaar.*

1   Els en ik kenden ... al toen wij klein waren. Wij zien ... nog steeds en wij kennen ... familie ook goed.
2   De satelliet en het ruimtestation zitten ... vast.
3   Mijn zusje en ik hebben ... afgesproken dat wij ... op de hoogte houden van de laatste nieuwtjes in de familie.
4   De omroepmaatschappijen beconcurreren ... in plaats van ... samen te werken.
5   Als je de kranten ... vergelijkt, zie je op welke punten ze ... verschillen.

6 Tijdens de test mogen jullie niet ... kijken en niet ... praten.

7 Je hebt alle papieren ... gegooid. Nu kan ik niets meer vinden.

8 Als de ene fabriek iets produceert, gaat de andere hetzelfde doen, want ze kunnen niet ... achterblijven.

9 Wij willen in onze stad een nieuw buurthuis, maar wij hebben het geld nog niet ...

10 Ik ben al zes weken ... verkouden en het gaat maar niet over.

23 Spreekoefening

> Hoewel de massamedia met het bewegende beeld en het geluid zich een belangrijke plaats in onze samenleving hebben verworven, blijven kranten en tijdschriften van even groot belang (tekst 1).

De conjunctie 'hoewel'.

Voorbeeld:

+ *Ga je naar de les? Maar je bent toch een beetje ziek?*
− *Ja, ik ga naar de les, hoewel ik een beetje ziek ben.*

24 Tekst

Dagelijks zo'n 670.000 slapers voor de buis

1 Wie moeilijk in slaap kan komen kan misschien nog het beste de televisie aanzetten.

2 Uit een recent onderzoek blijkt dat een op de twaalf kijkers voor de buis in slaap sukkelt tijdens de uitzending.

3 Volgens de onderzoekers, Media Direction Nederland BV Amstelveen, zijn er dagelijks 670.000 mensen die in slaap vallen tijdens een gewone televisie-avond.

4 Zelfs tussen acht en negen uur 's avonds zijn er nog minstens 60.000 mensen die slapen tijdens televisie-uitzendingen.

5 Mannen dutten wat sneller in dan vrouwen tijdens het tv-kijken.

6 En het zijn bepaald niet alleen de oudsten die wegsukkelen, want de hoogste score, ruim 10%, valt in de leeftijdscategorie van 25 tot 34 jaar. Bij

de 65-plussers zakt ruim 9% slapend onderuit.

7 De meest slaapverwekkende programma's bleken ten tijde van het onderzoek op donderdag te zijn.

8 Op die dag bereikte de televisie 9% van de kijkers enige tijd niet. Op andere dagen varieerde het slaappercentage van 6,6 tot 8,6%.

9 Het slaaponderzoek is een soort extraatje in het onderzoek dat Media Direction heeft gedaan naar het zendaanbod in Nederland.

10 Van alle zenders die in Nederland zijn te ontvangen werd Nederland 2 het beste gewaardeerd. BBC 1 en BBC 2 kwamen op de tweede en de derde plaats in de waardering.

11 Nederland 3 staat op de vijfde plaats na BRT 1.

12 En Nederland 1 op de zesde.

13 De satellietzenders verliezen terrein.

14 De populariteit van Sky Channel, Super Channel en MTV daalt. De kijker vindt volgens de onderzoeker deze programma's onvolwassen en kijkt er zelden aandachtig naar.

25 Schrijfoefening

Hieronder staat nogmaals de tekst van 24, maar met een beetje andere woorden. De tekst is niet volledig. Maak de tekst na het gegeven verbindingswoord af. De nummers van de zinnen corresponderen met de nummers van tekst 24.

1 Je moet kennelijk de televisie aanzetten als ...

2 De onderzoekers zijn tot de conclusie gekomen dat ...

3 Uit het onderzoek van Media Direction Nederland BV blijkt dat ...

4 Tussen acht en negen uur 's avonds zien 60.000 mensen niet wat er op de televisie gebeurt omdat ...

5 Het schijnt dat ...

6 Ruim 10% in de leeftijdscategorie van 25 tot 34 jaar valt in slaap, terwijl ...

7 Op donderdag schijnen de programma's het minst interessant te zijn want ...

8 Op die dag zag 9% van de kijkers enige tijd niet wat er op de televisie gebeurde, terwijl ...

9 Al deze gegevens zijn wij toevallig te weten gekomen omdat ...

10 BBC 1 en BBC 2 zijn erg populair in Nederland, maar ...

11 Nederland 3 staat op de vijfde plaats en ...

12 Ze zeggen dat ...

13 Het schijnt dat ...

14 Steeds minder mensen kijken naar Sky Channel, Super Channel en MTV
want ...

26 Luisteroefening ▢

Luister naar het radionieuws op de cassette en vul de weggelaten woorden in.

Bij een ... op een Spaanse ... bij Taragona zijn ongeveer dertig ...
vakantiegangers bijna al hun bezittingen ... geraakt. Een ... werd licht ... . De
gedupeerden zijn voorlopig elders ondergebracht en ... mogelijk al vandaag ...
naar huis.

27 Luisteroefening ▢

Luister naar het radionieuws op de cassette en vul de weggelaten woorden in.

Luisteraars, ... Het is ... uur, dinsdag 26 juli. Radionieuwsdienst verzorgd
door het ANP.*
Politiekorpsen in ... en in de ... zeggen dat ze een van de allergrootste ... van
drugshandelaren in de geschiedenis hebben opgespoord. Bij invallen in de ... ,
Engeland en ... zijn ... arrestaties verricht.
Onder de arrestanten is een ... die wordt beschouwd als de leider van de ... . Er
worden nog ... arrestaties verwacht. De ... heeft zeventien ... lang marihuana
uit ... en hasj uit Pakistan ... naar tal van ... landen, waaronder ...
De politie zegt dat het gaat om ... tonnen.

*ANP = Algemeen Nederlands Persbureau.

28 Luisteroefening ▢

Luister naar het radionieuws op de cassette en vul de weggelaten woorden in.

In het ... van China zijn, naar wordt gevreesd, ... mensen verdronken, toen een
veerboot in aanvaring ... met een ... schip en omsloeg. ... mensen konden
worden gered.
Het ongeluk ... op de ... de Jang-tse.

Het is het ... scheepsongeluk op deze ... binnen een ... . Donderdag verging er een passagiersschip met ... mensen aan boord. Zeker ... mensen zijn daarbij om het leven gekomen.

29 Mondeling of schriftelijk

In het Nederlands gebruikt men veel idioom, beeldspraak, e.d. In de onderstaande zinnen ziet u dit duidelijk.
Geef een andere omschrijving voor de cursieve woorden of uitdrukkingen.

Voorbeeld:
+ *Ik vond de cursus moeilijk. Ik ben blij dat de cursus* **achter de rug** *is.*
− *Ik ben blij dat de cursus afgelopen is/ik ben blij dat de cursus voorbij is.*

1   Dat wij binnenkort nog veel meer televisiekanalen kunnen ontvangen, *dat staat als een paal boven water.*
2   Hans zit de hele dag *voor de buis.*
3   De minister-president komt vanavond *op het scherm.*
4   Zie je dat oma *weggesukkeld* is.
5   Het huis is *in vlammen opgegaan.*
6   Ik wou iets weten over kabeltelevisie, maar *ik werd van het kastje naar de muur gestuurd.*
7   Er zijn 72 mensen *om het leven gekomen.*
8   Zijn klachten *laten me koud.*
9   Ik begrijp *geen bal* van wat hij zegt.

Les vier – De anatomische les

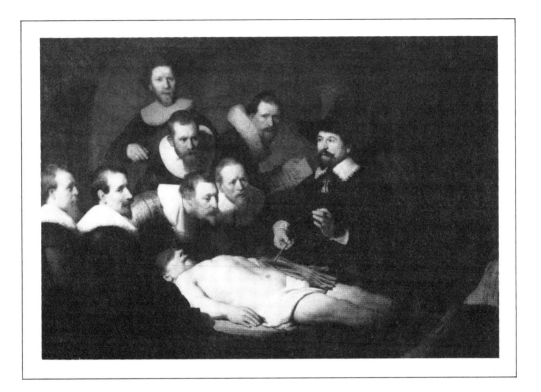

1 Tekst

De anatomische les

'De anatomische les' is een schilderij van Rembrandt. Eigenlijk is de titel niet 'De anatomische les', maar 'Doctor Tulp demonstreert de anatomie van de arm'. Maar iedereen spreekt over 'De anatomische les'.

Doctor Tulp was een bekende Nederlandse arts uit de 17e eeuw. Hij wist al veel over de mens, maar hij wist natuurlijk nog niet wat een hedendaagse arts wel weet. Zijn specialiteit was de anatomie, dat wil zeggen hij wist precies hoe het menselijk lichaam in elkaar zit. En hij demonstreert dat ook.

Bij deze demonstraties die gehouden werden in het Anatomisch Theater in Amsterdam, kon iedereen die dat wilde, aanwezig zijn. Maar men moest wel – zoals voor ieder theater – toegangsgeld betalen. De toegangsprijzen waren vrij hoog.

Ook in de 18e eeuw bestonden deze demonstraties nog. Daarna niet meer.

Het schilderij van Rembrandt is geen afbeelding van zo'n publieke demonstratie, want die begon met het laten zien van de ingewanden en niet – zoals op het schilderij – met een demonstratie van de arm.

De mannen op het schilderij zijn vrienden van doctor Tulp. Zij vinden het een eer samen met hem op de 'foto' te mogen. Doctor Tulp laat de structuur en verscheidene elementen van de hand en de arm zien. Met zijn eigen linkerhand demonstreert hij de bewegingen die de hand kan maken.

Zijn vrienden kijken aandachtig en vol bewondering naar hem en naar het dode lichaam dat voor hen op tafel ligt.

Rembrandt schilderde 'De anatomische les' in 1632. Het schilderij is eigendom geweest van verschillende personen. Ten slotte heeft het Mauritshuis in Den Haag het gekocht. In dat museum kan men nu 'De anatomische les' bewonderen.

Als Rembrandt nu leefde, zou hij voor dit schilderij miljoenen guldens hebben gekregen. Als ...

Maar waarschijnlijk moet je ook zeggen: Als Rembrandt nu leefde, zou hij anders schilderen en zou hij dus nooit 'De anatomische les' hebben geschilderd.

2 Vocabulaire-oefening

Vul een woord in uit 1 'De anatomische les'.

1   Is 'De anatomische les' een tekening van Rembrandt?
    Nee, 'De anatomische les' is een ... van Rembrandt.
2   Is 'De anatomische les' wel de officiële naam van dit schilderij?
    Nee, ... heet het schilderij anders.
3   Waar was doctor Tulp in gespecialiseerd?
    In de ... .
4   Waren de demonstraties van doctor Tulp gratis?
    Nee, men moest ... betalen.
5   Schilderde Rembrandt een van de publieke demonstraties van doctor Tulp?
    Nee, het schilderij van Rembrandt is geen ... van zo'n publieke demonstratie.
6   Zijn de vrienden van doctor Tulp geïnteresseerd in zijn demonstraties?
    Ja, zij kijken zeer ... naar wat doctor Tulp doet.
7   Is het schilderij nu van het Mauritshuis?
    Ja, het is nu ... van het Mauritshuis.
8   Waar kun je dit mooie schilderij zien?
    Men kan het schilderij ... in het Mauritshuis in Den Haag.

3 Mondeling of schriftelijk

1 Stelt u zich voor dat u in het Mauritshuis in Den Haag voor het schilderij
'De anatomische les' staat. Over dat schilderij wilt u een paar vragen stellen
aan de gids die bij u is. Bij voorbeeld: Zijn de mannen op het schilderij
allemaal arts?
Bedenk zelf vijf vragen:
1 …
2 …
3 …
4 …
5 …
2 Vertel of beschrijf in een paar zinnen wat u van dit schilderij vindt.

4 Mondeling of schriftelijk

Voorbeeld:
+ *Wat kun je met je ogen doen?*
− *Daar kun je mee zien.*

Kies een van de volgende werkwoorden:

ademhalen	bijten	denken	horen	kauwen	lopen
grijpen	praten	ruiken	slikken		

1 Wat kun je met je neus doen?
2 Wat kun je met je tanden doen?
3 Wat kun je met je oren doen?
4 Wat kun je met je longen doen?
5 Wat kun je met je benen doen?
6 Wat kun je met je vingers doen?
7 Wat kun je met je slokdarm doen?
8 Wat kun je met je hersens doen?
9 Wat kun je met je mond doen?
10 Wat kun je met je kiezen doen?

5   Grammatica

Als Rembrandt nu leefde, zou hij anders schilderen. (tekst 1)

Het gebruik van 'zou' en 'zouden'

'Als ik tijd had, zou ik met vakantie gaan'.
In deze zin staat in de bijzin het imperfectum (had) en in de hoofdzin 'zou'.
'Zou' gebruikt men om aan te geven dat iets geen realiteit is: de spreker heeft
geen tijd en dus gaat hij niet met vakantie.

Er zijn nog drie andere mogelijkheden om aan te geven dat iets geen realiteit is:
1. in de bijzin imperfectum, in de hoofdzin imperfectum:
    Als ik tijd had, ging ik met vakantie.
2. in de bijzin 'zou', in de hoofdzin imperfectum:
    Als ik tijd zou hebben, ging ik met vakantie.
3. in de bijzin 'zou', in de hoofdzin 'zou':
    Als ik tijd zou hebben, zou ik met vakantie gaan.

6   Mondeling of schriftelijk

Voorbeeld:
+ *Wat zou je doen als je veel geld had? Een auto kopen?*
− *Ja, als ik veel geld had, zou ik een auto kopen.*

1   Wat zou je doen als je het koud had? Een dikke jas aantrekken?
2   Wat zou je doen als je last van je tanden had? Naar de tandarts gaan?
3   Wat zou je doen als je een tuintje had? Veel in dat tuintje werken?
4   Wat zou je doen als je last van je buren had? Daarover met de buren praten?
5   Wat zou je doen als je horloge helemaal kapot was? Een nieuw horloge
    kopen?
6   Wat zou je doen als je het heel druk had? Ook in het weekend werken?
7   Wat zou je doen als je een inbraak ontdekte? Naar de politie gaan?

7   Mondeling of schriftelijk

Voorbeeld:

+   *Ik heb geen tijd. Daarom doe ik het niet.*
−   *Maar als ik tijd had, zou ik het doen.*

+   *Ik heb geen geld. Daarom koop ik geen auto.*
−   *Maar als ik geld had, zou ik een auto kopen.*

Gebruik in de bijzin het imperfectum en in de hoofdzin 'zou' of 'zouden'. Let ook op het gebruik van 'niet' en 'geen'.

1   Ik spreek geen Chinees. Daarom ga ik niet naar China.
2   Ik houd niet van muziek. Daarom koop ik geen muziekcassettes.
3   Ik ben ziek. Daarom ga ik niet met vakantie.
4   Ik doe aan de lijn. Daarom eet ik geen taartjes.
5   Het regent. Daarom ga ik niet met de fiets.
6   Ik heb geen fototoestel. Daarom maak ik geen foto's.
7   Er ligt sneeuw. Daarom ga ik niet naar buiten.
8   Ik heb niet veel geld. Daarom koop ik geen huis.

8   Tekst

Van Lennep over Nederlanders

In NRC Handelsblad schreef de Nederlander Van Lennep een stukje over lichamelijk contact in het openbare leven in Nederland. Uit dit stukje volgt hier een aantal aangepaste fragmenten.

Op feestjes en partijtjes zie je mensen die steeds dichter bij je komen staan.
2   Mensen die, zoals we dat noemen, op je lip gaan zitten. Als je een stap naar achteren doet om de afstand groter te maken, doen zij een stap naar voren.
4   'Meneer, mevrouw, zou u wat meer afstand willen bewaren?' Dat zou je willen vragen. Maar dat vraag je niet want het klinkt zo onvriendelijk.
U kent ze waarschijnlijk wel, deze mensen. Misschien vindt u ze wel aardig. Ik vind ze niet aardig.
Ik vind het ook niet leuk als mensen mij aanraken. Gelukkig gebeurt dat in
9   Nederland niet vaak. In zuidelijke landen zie je dat veel meer. Daar praten de mensen met hun handen en die handen grijpen de gesprekspartner bij de mouw of bij de voorkant van de jas.

Nederlanders tikken hun gesprekspartner wel eens op de arm. Meer doen ze niet. Maar dat is voor mij al te veel.

Soms legt men bij een vertrouwelijke mededeling de hand op de onderarm van de aangesprokene. Dat vind ik een aardig gebaar. Ik weet eigenlijk niet of het een typisch Nederlands gebaar is. Ik weet wel dat Marokkaanse en Turkse invloeden het handencontact tussen Nederlanders bij het spreken vergroten. Als er voldoende plaats is gaan Nederlanders in de tram niet naast iemand anders zitten. In het café waar ik kom, wil iedereen alleen aan een tafeltje zitten. Pas als het helemaal vol is, gaat men aan een tafeltje zitten waar al iemand zit.

9 Mondeling of schriftelijk

Beantwoord de volgende vragen bij tekst 8 'Van Lennep over Nederlanders'.

1 Wat bedoelt de schrijver met 'mensen die op je lip gaan zitten'? (2)
2 Wat bedoelt de schrijver met 'dat' in regel 4?
3 Wat bedoelt de schrijver met 'daar' in regel 9?
4 Noem drie vormen van menselijk contact waarvan de schrijver niet houdt.
5 De schrijver houdt niet van lichamelijk contact in het openbaar, maar over één vorm van contact heeft hij wel een positieve mening. Welke vorm is dat?

10 Spreekoefening/vocabulaire-oefening

Geef het tegengestelde.

Voorbeeld:
+ *Doet hij een stap naar voren?*
− *Nee, hij doet een stap naar achteren*

11 Spreekoefening

Plaats van 'niet' in de hoofdzin.*
Geef een negatief antwoord.

+ *Vindt u ze aardig?*

− *Nee, ik vind ze niet aardig.*

+ *Gaan ze naast u zitten?*
− *Nee, ze gaan niet naast me zitten.*

*Herhaling van Help 1, les 3.

12 Vocabulaire-oefening

> Soms legt men bij een vertrouwelijke mededeling de hand op de onderarm van de aangesprokene (tekst 8).

De arm bestaat uit twee delen. Het deel van de schouder tot de elleboog noemen we de bovenarm, het deel van de elleboog tot de hand noemen we de onderarm.

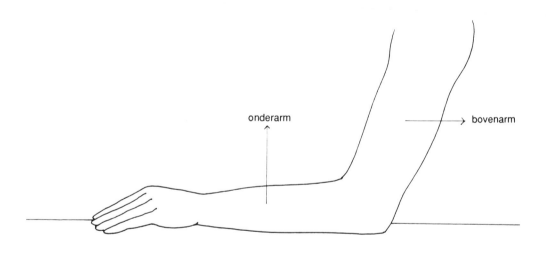

Er zijn nog meer lichaamsdelen waaraan men *boven-* en *onder-* kan toevoegen. Deze lichaamsdelen bestaan uit twee delen, waarvan het ene deel hoger zit dan het andere (de bovenarm zit hoger dan de onderarm).
Geef bij de volgende lichaamsdelen aan of een combinatie met *boven-* en *onder-* mogelijk is.

		boven	onder

1   been, het
2   neus, de
3   tanden, de
4   kaak, de
5   schouder, de
6   tong, de
7   buik, de
8   lip, de
9   lichaam, het
10 pols, de

13 Spreekoefening

> Zou u wat meer afstand willen bewaren? (tekst 8)

Vergelijk deze twee zinnen:
a   Wil je me even helpen?
b   Zou je me even willen helpen?
Zin b is beleefder, is vriendelijker dan zin a.

Verander de imperatief die u hoort in een vraag met 'zou + willen'.

Voorbeeld:
+   *Help me even.*
−   *Zou je me even willen helpen?*

14 Tekst

Bel jij even de dokter?

'Ik voel me niet lekker,' zei Willem toen hij 's morgens wakker werd.
'Waar heb je last van?' vroeg zijn vrouw, 'van je buik, je hoofd, je maag… Of denk je dat het een griepje is?'
'Een griepje? Nee, ik geloof dat het veel ernstiger is.'
'Als het zo ernstig is, moet je naar de dokter. Hij heeft van half acht tot half

87

negen spreekuur.'

'Ik voel me veel te slap om naar het spreekuur te gaan. De dokter moet maar langskomen. Wil jij hem even bellen?'

'Waarom ik? Dat kun je veel beter zelf doen. Jij kunt hem beter uitleggen wat je mankeert dan ik.'

'Nee, doe jij dat nou maar,' zei Willem. 'Ik voel me zo beroerd, zo misselijk. Stel je voor dat ik aan de telefoon moet overgeven.'

'Je overdrijft, geloof ik. Maar goed, ik zal bellen.'

Ze belde dokter Van Dijk, hun huisarts.

'Hij komt vanmiddag even langs,' zei ze.

Maar 's middags om half zes was dokter Van Dijk er nog steeds niet geweest.

'Weet je zeker dat hij komt?' vroeg Willem.

'Hij zou komen,' antwoordde zijn vrouw. 'Maar misschien is er iets tussen gekomen.'

'Och,' zei Willem, 'het is ook eigenlijk niet meer nodig. Ik voel me al een stuk beter. Bel hem maar op om te zeggen dat ik weer ben opgeknapt.'

Zijn vrouw keek hem aan en zei toen: 'Willem, je bent nog niet helemaal beter. Maar je hebt geen dokter nodig, maar een flink pak slaag.'

15 Spreekoefening 🔲

> Weet je zeker dat hij komt, vroeg Willem?
> Hij zou komen, antwoordde zijn vrouw (tekst 14).

'Hij zou komen' betekent: hij is niet gekomen, maar hij heeft wel gezegd: 'Ik zal komen'. Hij heeft het beloofd.

Men gebruikt hier dus 'zou' voor iets dat geen realiteit is, maar men verwachtte die realiteit wel.

Er volgt nu een oefening over het gebruik van 'zou'.

Voorbeeld:

+ 1 *Heeft Jan gebeld?*
+ 2 *Nee.*
−   *Wat raar. Hij zou bellen.*

16 Spreekoefening 🔲

Voorbeeld:
+ *Piet heeft gezegd dat hij komt.*
+ *En Suzanne?*
− *Die zou ook komen. Dat heeft ze tenminste gezegd.*

17 Spreekoefening 🔲

Wil jij hem even bellen? (tekst 14)

Vragen stellen
Luister naar de cassette. Stel de vragen zoals dat in het voorbeeld wordt gedaan.

Voorbeeld:
+ *Zou dat tafeltje nog vrij zijn? Ik ga even aan die meneer vragen of dat tafeltje nog vrij is.*
− *Meneer, is dat tafeltje nog vrij?*

18 Spreekoefening/vocabulaire-oefening 🔲

Voorbeeld:
+ *Als u het woord schoenen hoort, denkt u dan aan handen of aan voeten?*
− *Aan voeten.*

+ *Een muts, zet u die op uw hoofd of op uw schouders?*
− *Op mijn hoofd.*

19 Grammatica

Plaats van de bepaling in de zin.

Een bepaling in de zin is een gedeelte dat nooit een subject, een direct object of een indirect object kan zijn.
Een bepaling in de zin kan tijd aanduiden: gisteren, vandaag, vorig jaar, om acht uur, etc.
Het kan een manier aanduiden: met de trein, op blote voeten, slecht, etc.

Het kan een plaats aanduiden: in Amsterdam, bij de supermarkt, op het station, etc.

Een hoofdzin kan met een bepaling beginnen. Dan is de bepaling een inversiecommando:
Gisteren heb ik hem op een feest ontmoet.
Op het station kun je eten.
Soms staat een bepaling niet aan het begin van een hoofdzin.

De volgorde van woorden in een hoofdzin staat niet altijd helemaal vast.
Meestal geldt dat 'tijd' dichtbij de persoonsvorm staat.
Ik heb hem *gisteren* op het feest ontmoet.

'Plaats' duidt men vaak aan met een groep woorden die met een prepositie begint. Deze groep staat meestal nogal ver van de persoonsvorm vandaan, dus nogal aan het einde van de zin.
Ik ga volgend jaar *in Amsterdam* werken.
'Manier' staat meestal tussen 'tijd' en 'plaats'.
Ik ben vanmorgen *op de fiets* naar het postkantoor gegaan.

Opmerking
In het algemeen komt een direct object dat indefiniet is, zo ver mogelijk van de persoonsvorm te staan. 'Indefiniet' betekent (bij voorbeeld): een substantief met het lidwoord 'een', een substantief zonder lidwoord of een substantief na woorden als: veel, weinig, allerlei, etc.
Ik heb gisteren op de fiets in Amsterdam *boodschappen* gedaan.
In dit soort zinnen staan alle bepalingen dus vóór het indefiniet object.

20 Mondeling of schriftelijk

Plaats van de bepaling in de zin.
Plaats het losse woord in de gegeven zin.

Voorbeeld:
+ *Ik heb hem op een feestje ontmoet.*
+ *gisteren*
− *Ik heb hem gisteren op een feestje ontmoet.*

1 + Ik heb hem op een feestje ontmoet.

+ gisteren
− Ik

2 + Zij liep door het huis.
 + op blote voeten
 − Zij

3 + Hij viel tegen de tafel.
 + met zijn hoofd
 − Hij

4 + Nederlanders tikken elkaar op de arm.
 + soms
 − Nederlanders

5 + Ik ga naar Rusland.
 + morgen
 − Ik

6 + Ik ga zaterdags boodschappen doen.
 + in de supermarkt
 − Ik

7 + Bij de kassa moet je op je beurt wachten.
 + lang
 − Bij de kassa

8 + Ik ben met vakantie naar Hongarije geweest.
 + vorig jaar
 − Ik

9 + Zondags wandel ik door het centrum van de stad.
 + vaak
 − Zondags

10 + Heeft het vannacht geregend?
 + weer
 − Heeft

11 + Ik heb dit jaar voor mijn examen gewerkt.

+ heel serieus
− Ik

12 + Ben je vanmorgen naar het postkantoor geweest?
+ op de fiets
− Ben

13 + Kun je in het centrum overal parkeren?
+ gemakkelijk
− Kun

14 + Misschien ga ik naar het buitenland.
+ volgende week
− Misschien

21 Tekst

Rentes de Carvalho over Nederlanders

In tekst 8 'Van Lennep over Nederlanders' schrijft Van Lennep over lichamelijk contact in het openbare leven in Nederland. Over hetzelfde onderwerp hebben ook buitenlanders geschreven, bij voorbeeld de Portugees Rentes de Carvalho. Zijn boek over dit onderwerp heet: Waar die andere God leeft (Uitgeverij Meulenhoff, 1972).

In mijn land heb ik geleerd eerbied te hebben voor het menselijk lichaam. Voordat ik naar Nederland kwam, probeerde ik het contact met anderen te vermijden of het contact te beperken tot schouders. Want schouders zijn neutraal.

5 Dat probeert men ook in de Parijse metro. In de Parijse metro, zelfs tijdens de spitsuren, is het curieus te zien hoe al die mensen in de wagons, hun best doen om zo weinig mogelijk lichamelijk contact te hebben.

Maar in Nederland gedraagt men zich heel anders. Ik heb in de tram, de trein en de bus gemerkt dat de Nederlander zijn lichaam gebruikt zoals een soldaat zijn wapen. Als je daaraan niet gewend bent, geneer je je dood. Je weet niet waar je kijken moet als grote borsten of 'achtersten van alle mogelijke maten en gewichten' je klem zetten.

Aldus Rentes de Carvalho (met enige kleine wijzigingen).

22 Schriftelijk of mondeling

Vragen bij 21
1   Wat bedoelt de schrijver met 'Dat' in regel 5?
2   Waarom gebruikt de schrijver in regel 5 'zelfs'?
3   Bent u het eens met Rentes de Carvalho? Zo ja, waarom; zo nee, waarom niet?

23 Schrijfoefening

Maak de volgende zinnen naar eigen fantasie af. De zinnen hebben betrekking op tekst 21.

1   In mijn land hebben de mensen ...
2   Voordat ik naar Nederland kwam wist ik niet ...
3   Men zegt vaak dat men in de Parijse metro ...
4   Als ik in een drukke tram zit doe ik altijd mijn best ...
5   Ik heb nooit geweten dat ...
6   Waarom zou je je dood generen als ...
7   In volle trams is het onmogelijk lichamelijk contact ...
8   Ik weet niet of Rentes de Carvalho ...

24 Spreekoefening 📼

De plaats van 'niet' in de hoofdzin.*
Geef een negatief antwoord.

Voorbeeld:
+   *Rookt u?*
−   *Nee, ik rook niet.*

* Herhaling van Help 1, les 3.

25 Spreekoefening 🔲

> Hij wist al veel over de mens, maar hij wist nog niet wat een hedendaagse
> arts wel weet. (tekst 1)

'Al' in de positieve zin, 'nog niet' of 'nog geen' in de negatieve zin.

Geef een negatief antwoord.

Voorbeeld:
+ *Heb je al gegeten?*
– *Nee, ik heb nog niet gegeten.*

+ *Heb je al brood gehaald?*
– *Nee, ik heb nog geen brood gehaald.*

26 Spreekoefening 🔲

> In de 18e eeuw bestonden deze demonstraties nog. Daarna niet meer.
> (tekst 1)

'Nog' in de positieve zin, 'geen ... meer' of 'niet meer' in de negatieve zin.

Geef een negatief antwoord.

Voorbeeld:
+ *Is er nog bier?*
– *Nee, er is geen bier meer.*

+ *Woon je nog in Amsterdam?*
– *Nee, ik woon niet meer in Amsterdam.*

27 Spreekoefening 🔲

'Al' in de positieve zin, 'nog niet' of 'nog geen' in de negatieve zin.

'Nog' in de positieve zin, 'geen ... meer' of 'niet meer' in de negatieve zin.
Geef een negatief antwoord.

Voorbeeld:
+   *Ben je al klaar?*
−   *Nee, ik ben nog niet klaar.*

+   *Is er nog brood?*
−   *Nee, er is geen brood meer.*

28 Vocabulaire-oefening

Lichaamsdelen worden vaak gebruikt in vaste uitdrukkingen. Hieronder volgt
een aantal van deze uitdrukkingen.
1   Het ligt voor de hand: het is duidelijk, het is vanzelfsprekend
    Het ligt voor de hand dat er bij warm weer meer wordt gedronken dan bij
    koud weer.
2   aan de hand zijn: gebeuren
    Waarom lopen alle mensen naar buiten? Wat is er aan de hand? Is er een
    ongeluk gebeurd?
3   iemand of iets over het hoofd zien: iemand of iets vergeten
    Mag ik ook een kopje koffie?
    Hebt u nog geen koffie gehad? Ik dacht dat ik iedereen een kopje koffie
    had gegeven?
    Nee, u hebt mij over het hoofd gezien.
4   iets onder de knie hebben: iets goed kunnen doen
    Ik wist eerst niet hoe ik deze dans moest uitvoeren, maar nu heb ik hem
    helemaal onder de knie.
5   zijn mond houden: zwijgen, niets zeggen
    Mag ik wat zeggen?
    Nee, je mag niets zeggen. Je moet je mond houden.
6   achter de rug zijn: afgelopen zijn, voorbij zijn
    Ben je blij dat het examen voorbij is?
    Ja, ik ben blij dat het achter de rug is.
7   iets door de vingers zien: iets wat verkeerd is niet bestraffen
    U rijdt in het donker zonder licht, zei de agent. U weet dat dat niet mag. Ik
    zal het voor deze keer door de vingers zien, maar de volgende keer moet u
    betalen.
8   van iets de buik vol hebben: van iets genoeg hebben

Lieve ouders,
We zijn nu een week met vakantie aan zee en we hebben nog iedere dag regen gehad. Ik heb er de buik van vol. Ik kom naar huis.

9   zijn hart vasthouden: bang zijn dat er iets onaangenaams gebeurt, dat er een ongeluk gebeurt
Elly reed meer dan 150 km per uur. Ik hield mijn hart vast want ik dacht: als dat maar goed gaat.

29 Vocabulaire-oefening

Hieronder volgen acht zinnen. Zoek uit de negen zinnen van oefening 28 een zin die bij een van deze acht zinnen past. Zet de werkwoorden in de juiste vorm.

Voorbeeld:
+   *Als het examen voorbij is, ga ik een grote reis maken.*
+   *Als*
−   *Als het examen achter de rug is, ga ik een grote reis maken.*

1   Wat gebeurt hier?
Wat ...
2   Op de zesde verdieping hing een man uit het raam. Iedereen was erg bang. Zo meteen valt hij naar beneden, dachten ze.
Iedereen ...
3   Het is logisch dat rijke mensen meer belasting betalen dan arme.
Het ...
4   Probeer eens vijf minuten stil te zijn.
Probeer ...
5   Je had beloofd vóór twaalf uur thuis te zijn. In werkelijkheid ben je vannacht om half twee thuisgekomen. Maar ik zal je geen straf geven.
Ik ...
6   De leraar zei dat al mijn antwoorden goed waren. Maar hij vergiste zich. Hij had één fout ...
7   Ik heb genoeg van het lawaai van de buren.
Ik heb ...
8   Vroeger wist ik niet hoe ik een lekke band moest repareren, maar nu wel. Nu heb ik het helemaal ...

30 Tekst

De Body-trekker

Misschien bent u wel eens van plan geweest om in een sportschool te gaan trainen of een hometrainer aan te schaffen. Beide methodes zijn echter duur. Bovendien neemt een hometrainer veel plaats in beslag. Voor mensen die klein wonen is dat lastig.

Deze problemen hebt u niet met de Body-trekker. De Body-trekker is een handig en goedkoop apparaat voor individueel gebruik. Het bestaat uit een sterke stalen veer met aan een kant handvatten en aan de andere kant voetsteunen.

Met behulp van dit apparaat kunt u, als u zit of ligt, oefeningen doen. Als u zit zijn de oefeningen voor maag, borst en armen; als u ligt voor buik, benen, heupen en dijen. Het enige wat u nodig hebt is een klein stukje vloer en eventueel een paar sportschoenen. Maar als u wilt kunt u de oefeningen ook op blote voeten doen.

De Body-trekker past in elke la of kast en ook in een koffertje of reistas. U kunt ermee oefenen in de huis- of slaapkamer, voor de t.v. of in de tuin.

Dit apparaat versterkt de buikspieren en maakt de ledematen soepel. Voor nog geen acht gulden voelt u zich in minder dan zeven minuten een stuk fitter.

Vrij naar een advertentie in Etos Magazine

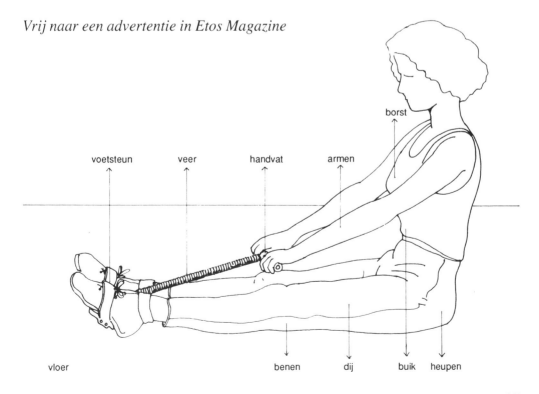

31 Mondeling of schriftelijk

Beantwoord de volgende vragen bij tekst 30 'De Body-trekker'.

1 Wat zijn de voordelen van de Body-trekker in vergelijking met de sportschool en de hometrainer?
2 Hoeveel mensen kunnen tegelijkertijd van de Body-trekker gebruik maken?
3 Is het noodzakelijk om bij het oefenen met de Body-trekker sportschoenen te dragen?
4 Hoe kan men de Body-trekker meenemen als men op reis gaat?
5 Vindt u het belangrijk om aan lichaamstraining te doen. Zo ja, waarom/zo nee, waarom niet?
6 Vindt u het verstandig om bij lichaamstraining apparaten te gebruiken? Zo ja, waarom/zo nee, waarom niet?
7 Soms worden er op de televisie gymnastieklessen gegeven. Daarbij is het de bedoeling dat de mensen thuis aan die lessen meedoen. Denkt u dat die lessen veel sukses hebben? Motiveer uw antwoord.
8 Vindt u dat gymnastiek een verplicht vak moet zijn in het voortgezet onderwijs (voor leerlingen van 12 tot 18)? Zo ja, waarom? Zo nee, waarom niet?

32 Schrijfoefening

Vul de juiste prepositie in.

1 Ik ga iedere dag ... de sportschool.
2 De Body-trekker bestaat ... een stalen veer, handvatten en voetsteunen.
3 Met behulp ... de Body-trekker kunt u uw spieren soepel maken.
4 De Body-trekker past ... elke kast.
5 U kunt overal ... de Body-trekker oefenen.
6 ... mijn slaapkamer staat een hometrainer.
7 Als ik niet kan slapen, ga ik ... de hometrainer zitten.
8 Als je iedere dag ... je werk loopt, hoef je geen extra oefeningen te doen.
9 Hebt u belangstelling ... een Body-trekker?
10 Met dit apparaat voelt u zich ... minder dan zeven minuten een ander mens.
11 Als u wilt meedoen ... de Olympische Spelen, moet u goed eten en ... tijd naar bed gaan.
12 Ik heb ... V & D een boek over sport voor oude mensen gekocht.
13 Ik fiets iedere dag ... het station.

14 Vroeger heb ik ... Ajax gespeeld, maar nu speel ik ... Feijenoord.

33 Vocabulaire-oefening

> Dit apparaat versterkt de buikspieren. (tekst 30)

versterken = sterker maken
Vul een werkwoord in dat begint met ver-, gecombineerd met een van de volgende adjectieven: sterk, erg, aangenaam, fraai, dun, breed, groot, duidelijk, klein.

Voorbeeld:
Dit apparaat ... de spieren.
Dit apparaat versterkt de spieren.

1 Dit apparaat ... de spieren.
2 Door sport wordt het leven prettiger. Sport ... het leven.
3 Deze weg is te smal. Daarom heeft de gemeente besloten de weg te ...
4 Ik begrijp niet precies wat u bedoelt. Wilt u proberen uw ideeën te ...
5 Deze buurt is nu nog lelijk, maar de gemeente doet veel moeite om hem te ...
6 Als je een paar vreemde talen spreekt, kun je gemakkelijker een baan vinden. Kennis van vreemde talen ... de kans op werk.
7 Deze verf is te dik. Je moet hem ...
8 Ik vind deze foto te groot. Kunt u hem ...?
9 Er is in dit gebied altijd te weinig voedsel, maar de grote droogte van de afgelopen maanden heeft de situatie nog ...

34 Luisteroefening

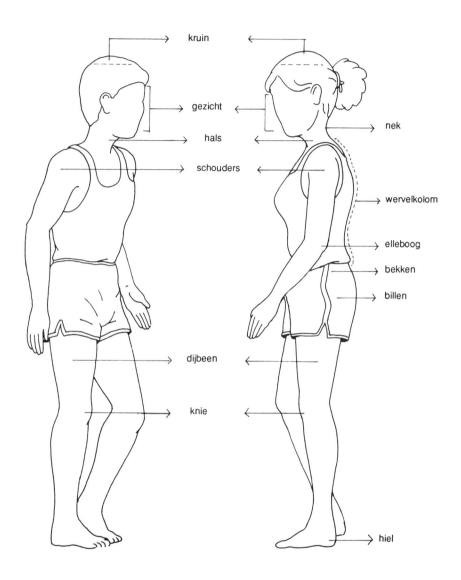

Bestudeer de hierboven afgebeelde lichaamsdelen.

Luister nu naar de cassette. Op de cassette hoort u zes instructies voor lichamelijke oefeningen. Hiernaast staan zes plaatjes. Geef aan welk plaatje bij welke instructie hoort.

B

A

C

D

E

F

35 Vocabulaire-oefening

Vul in.

Voorbeeld:
Orgaan waarmee je kunt zien   o..   *oog*

1   Orgaan waarmee je kunt horen   o..
2   Orgaan waarmee je kunt ruiken   ...s

3   Aan iedere hand zitten vijf   . . . . . . s
4   Aan iedere voet zitten vijf   . . . . n
5   Tussen het bovenbeen en het onderbeen zit de   k . . .
6   Tussen de bovenarm en de onderarm zit de   e . . . . . .
7   Iedere vinger heeft een naam: duim, wijsvinger,
    middelvinger, ringvinger en   p . . .
8   We halen adem met behulp van de   l . . . . .
9   Als je veel bier drinkt krijg je een dikke   . . . k

36 Tekst

Het sprookje van Roodkapje

Aan de rand van een bos woonde eens een lief meisje. Iedereen noemde haar
Roodkapje, omdat ze altijd een rood mutsje op haar blonde krullen droeg.
Op een dag zei haar moeder: 'Roodkapje, hier is een mandje met drie
pannekoeken. Breng die eens gauw naar grootmoeder, want ze is ziek.'
Grootmoeder woonde aan de andere kant van het bos. Dat was een heel eind
lopen. Maar Roodkapje nam vrolijk het mandje aan haar arm en zingend liep zij
het bos in. Wat was het daar heerlijk! Het was alsof alle vogeltjes een liedje
voor haar zongen. En overal stonden prachtige bloemen. Kom, dacht
Roodkapje, ik pluk voor grootmoeder meteen een mooi bosje bloemen. Dat zal
ze ook wel heerlijk vinden.
En terwijl ze aan het plukken was, wie stond daar opeens naar Roodkapje te
loeren? Dat was de wolf! En de wolf had honger, maar hij was een beetje bang
voor de houthakkers die in het bos werkten.
'Wel, Roodkapje, waar ga je zo alleen naar toe?' vroeg de wolf.
'Naar grootmoeder. Ze woont in dat witte huisje aan het eind van het bos. Ik
breng haar dit mandje en die mooie bloemen. Ze zal er wel blij mee zijn, hè?'
'Ongetwijfeld,' zei de wolf. 'Ga maar gauw naar haar toe, hoor.' En meteen
verdween hij in de struiken. Met grote sprongen holde hij het bos door.
Waarheen? Naar grootmoeders huisje. Na enige ogenblikken was hij er al.
Klop, klop, klonk het op de deur, maar niemand deed open want grootmoeder
lag in bed. Klop, klop, klonk het nog eens. Nu hoorde de wolf een zachte stem:
'Trek maar aan het touwtje, dan zal de deur wel open gaan.' In één sprong was
de wolf bij het bed. En nog voordat grootmoeder goed gezien had wie het was:
hap, daar had hij grootmoeder al helemaal opgegeten. Toen zette hij vlug haar
muts op en ging onder de dekens liggen, nadat hij eerst de gordijnen een beetje
dicht had gedaan: dan kon Roodkapje niet meteen zien wie daar lag. Ze zou nu

wel gauw komen.

En ja hoor. Na een paar minuten hoorde hij al: klop, klop.

'Trek maar aan het touwtje, dan zal de deur wel open gaan,' riep de wolf. Het klonk wel een beetje schor, maar grootmoeder was dan ook ziek.

Roodkapje kwam vrolijk binnen. Ze zette het mandje op tafel en liep meteen naar het bed.

'Dag grootmoeder. Hoe gaat het met u? Kijk eens, ik breng wat pannekoeken en een fles verse melk en ook wat mooie bloemen... Maar grootmoeder, wat hebt u grote ogen!'

'Dat is om beter te kunnen zien, Roodkapje.'

'O, grootmoeder, wat hebt u een grote neus!'

'Dat is om beter te kunnen ruiken, kind.'

'O, grootmoeder, wat hebt u grote oren!'

'Dat is om beter te kunnen horen, liefje.'

Roodkapje werd nu toch wel wat bang. De wolf had zijn grote bek opengedaan. Zijn rode tong kwam te voorschijn en ook zijn sterke tanden.

'O, grootmoeder,' riep Roodkapje angstig, 'wat hebt u een grote mond!'

Toen sprong de wolf uit bed. 'Dat is om je beter te kunnen opeten!'

En hap, daar had hij ook Roodkapje opgegeten.

Hè hè, nu ging hij wat slapen. Hij kroop weer in bed en na twee tellen snurkte hij al.

Hij snurkte zo hard dat een jager die daar toevallig voorbij kwam het gesnurk hoorde. De jager ging naar binnen, zag de wolf in bed liggen en begreep meteen wat er gebeurd was.

Vlug pakte hij een schaar en knipte de buik van de wolf open. Eerst kwam Roodkapje uit de buik te voorschijn, toen grootmoeder. Beiden leefden nog.

Roodkapje haalde snel een paar grote stenen en vulde daarmee de buik van de wolf. Toen de wolf wakker werd, wilde hij weglopen, maar de stenen waren zo zwaar dat hij in elkaar zakte en dood op de grond viel.

Les vijf –
Staat, provincie, gemeente

1 Tekst 🔲

De staat

Nederland is een koninkrijk en geen republiek. Daarom heeft Nederland geen president als staatshoofd, maar een koning of een koningin. Toevallig heeft Nederland sinds 1890 steeds een koningin. De grondwet spreekt altijd van de koning: de term 'de koningin' wordt daar niet gebruikt. De macht van de koning was vroeger heel groot. Nu niet meer. Nu is Nederland een constitutionele monarchie want in de grondwet (= constitutie) staat dat de ministers verantwoording schuldig zijn aan het parlement en niet aan de koning (= monarch).

De eigenlijke macht wordt dus niet door de koning of de koningin uitgeoefend, maar door het parlement en de regering. De regering bestaat uit de minister-president en de ministers. De ministers worden bijgestaan door staatssecretarissen, die verantwoordelijk zijn voor een gedeelte van het werk van een ministerie.

Men gebruikt voort 'de regering' ook vaak de term 'het kabinet'. Het parlement heeft officieel Staten-Generaal. Zoals in veel andere landen bestaat het uit twee organen: de Eerste Kamer en de Tweede Kamer.

Men denkt misschien dat de Eerste Kamer het belangrijkst is, maar dat is niet zo. Hij is te vergelijken met de senaat in andere landen. De Tweede Kamer, de volksvertegenwoordiging, is het belangrijkst. De regering moet aan de Tweede Kamer verantwoording afleggen van haar beleid. De Tweede Kamer kan een minister of zelfs de hele regering naar huis sturen.

Verder beslist de Tweede Kamer over wetsvoorstellen van de regering en kan deze aanvaarden, veranderen of verwerpen. Bovendien kan de Tweede Kamer zelf met wetsvoorstellen komen.

De zittingen van de Tweede Kamer zijn openbaar en ze zijn dikwijls via radio en televisie te volgen.

De Eerste Kamer controleert het werk van de Tweede Kamer. De Eerste Kamer kan de besluiten van de Tweede Kamer goedkeuren of afkeuren. Dat laatste gebeurt echter maar zelden.

Normaal gesproken worden er eens in de vier jaar rechtstreekse verkiezingen voor de Tweede Kamer gehouden. Nederlanders die 18 jaar of ouder zijn, kunnen dan hun stem uitbrengen op één van de vele politieke partijen die aan de verkiezingen deelnemen. Er zijn altijd tamelijk veel politieke partijen in de Tweede Kamer vertegenwoordigd, gemiddeld een stuk of tien.

De drie grootste partijen zijn het CDA (Christen-Democratisch Appel), de PvdA (Partij van de Arbeid) en de VVD (Volkspartij voor Vrijheid en Democratie).

De Tweede Kamer telt 150 leden. Een regering kan niet regeren als zij niet gesteund wordt door een meerderheid in de Tweede Kamer, m.a.w.: in de Tweede Kamer moeten minstens 76 kamerleden(= de helft + 1) achter het beleid van de regering staan.

Zoals gezegd zijn er altijd tamelijk veel politieke partijen in de Tweede Kamer vertegenwoordigd. Zo'n vertegenwoordiging van een politieke partij in de Tweede Kamer heet een fractie. Men spreekt dus over de fractie van het CDA, de fractie van de PvdA enz. Het komt in Nederland nooit voor dat één fractie 76 of meer afgevaardigden telt (76 = de helft + 1). Daarom bestaat de regering altijd uit vertegenwoordigers van meer dan één politieke partij. Daarom heeft Nederland altijd een coalitieregering.

2   Mondeling of schriftelijk

Hieronder volgen enige beweringen die op tekst 1 slaan. Geef aan of ze waar of niet waar zijn. Als ze niet waar zijn, probeer dan aan te geven waarom ze niet waar zijn.

1   De eigenlijke macht wordt niet door de koningin uitgeoefend.
2   De Tweede Kamer wordt Staten-Generaal genoemd.
3   Het parlement wordt door twee organen gevormd.
4   In dit stuk wordt de Eerste Kamer met een senaat in het buitenland vergeleken.
5   Het regeringsbeleid wordt door de Eerste Kamer gecontroleerd.
6   De regering kan door de koningin naar huis gestuurd worden.
7   Er kunnen door leden van de Tweede Kamer geen wetsvoorstellen worden ingediend.
8   Een wetsvoorstel kan door de Eerste Kamer verworpen worden.
9   Er worden iedere vier jaar verkiezingen voor het hele parlement gehouden.
10 Er wordt door tien politieke partijen aan de verkiezingen deelgenomen.
11 De Nederlandse regering bestaat altijd uit vertegenwoordigers van twee politieke partijen.

12 De regering wordt ook wel kabinet genoemd.

13 Een staatssecretaris wordt verantwoordelijk gesteld voor het werk van het hele ministerie.

3 Grammatica

> De eigenlijke macht wordt uitgeoefend door het parlement en de regering. (tekst 1)

Het passief

'Wordt uitgeoefend' noemen we een passieve vorm. Passief betekent: het subject van de zin doet niets. In de voorbeeldzin 'doet' de macht niets: het parlement en de regering doen iets.

Een duidelijk voorbeeld is:
De zieke wordt geopereerd.
De zieke doet niets. De chirurg doet iets.

Zoals u ziet wordt in de passieve zin niet altijd gezegd wie iets doet, bij voorbeeld niet in de zin: De zieke wordt geopereerd.
Als er wel wordt gezegd wie iets doet, moet men 'door' gebruiken:
De zieke wordt door de chirurg geopereerd.
De eigenlijke macht wordt uitgeoefend door het parlement en de regering.

Een zin met 'door' kan men ook in de actieve vorm zetten.

Vergelijk:
Passief   : De zieke wordt door de chirurg geopereerd.
Actief   : De chirurg opereert de zieke.

Passief   : De eigenlijke macht wordt uitgeoefend door het parlement en de regering.
Actief   : Het parlement en de regering oefenen de eigenlijke macht uit.

De betekenis van deze zinnen is hetzelfde.

Waarom gebruikt men het passief?
1 *Omdat men soms niet weet wie iets doet.*

Er wordt hier een kerk gebouwd.

(maar wie dat doet, weet ik niet)

Er wordt geklopt.

(maar wie dat doet, weet ik niet)

2   *Men weet misschien wel wie iets doet, maar men vindt het niet belangrijk om dat te zeggen.*

Uit een artikel in de krant:

De president van Amerika moet geopereerd worden.

(de journalist die dit schrijft, weet misschien wel wie de operatie zal uitvoeren, maar hij vindt het onbelangrijk om dit te vermelden)

3   *De schrijver van een tekst is niet een concrete persoon, maar een instantie, een organisatie, een ministerie, etc. Daarom geen 'ik' of 'wij' als subject, maar de passieve vorm.*

Op het belastinformulier:

Met het woord echtgenoot wordt zowel de man als de vrouw bedoeld.

(niet: 'ik bedoel' of 'wij bedoelen')

In punt 1 staat: men gebruikt soms het passief, omdat men niet weet wie iets doet. Behalve het passief kan men in zo'n geval ook 'men', 'ze' en 'je' gebruiken.

Er wordt hier een kerk gebouwd.

Men bouwt hier een kerk.

Ze bouwen hier een kerk.

Er mag hier niet gerookt worden.

Men mag hier niet roken.

Je mag hier niet roken.

De vervoeging van het passief

praesens	imperfectum
ik word geopereerd	ik werd geopereerd
jij wordt geopereerd	jij werd geopereerd
u wordt geopereerd	u werd geopereerd
hij, zij, het wordt geopereerd	hij, zij, het werd geopereerd
wij worden geopereerd	wij werden geopereerd
jullie worden geopereerd	jullie werden geopereerd
zij worden geopereerd	zij werden geopereerd

perfectum	plusquamperfectum
ik ben geopereerd	ik was geopereerd
jij bent geopereerd	jij was geopereerd
u bent geopereerd	u was geopereerd
hij, zij, het is geopereerd	hij, zij, het was geopereerd
wij zijn geopereerd	wij waren geopereerd
jullie zijn geopereerd	jullie waren geopereerd
zij zijn geopereerd	zij waren geopereerd

4 Schrijfoefening

Maak een passieve zin. Gebruik de aangegeven tijd.

Voorbeeld
A: *Kan ik de burgemeester even spreken?*
B: *Nee. Weet u dat niet? Hij is heel ernstig ziek.*
   opereren *(praesens)*: hij morgen ...
— Hij wordt morgen geopereerd.

1 A: Wat betekent het woord 'forfait'?
   B: O, dat heeft iets met geld te maken, maar
      gebruiken (praesens): Dat alleen in ambtelijke taal...
   —

2 A: Waarom zet je je vuilniszakken niet buiten?
   B: Het is vandaag toch een feestdag!
      ophalen (praesens): Dan het vuil niet...
   —

3 A: Ik wou graag informatie van de heer De Jong over de nieuwe wet, maar
      ik hoor dat hij er niet is.
   B: Hij komt straks wel. Ik zal de boodschap doorgeven. U hoeft hem niet te
      bellen.
      terugbellen (praesens): U...
   —

4 A: Ben je gisterenavond naar de vergadering van de gemeenteraad geweest?
   B: Ja. Het was heel interessant.

indienen (imperfectum): Er een motie tegen de vestiging van die chemische fabriek…

—

5   A: Mevrouw, ben ik nu eindelijk aan de beurt?
    B: *helpen* (praesens): O, u nog niet…?

    —

    A: Nee, ik wacht hier al meer dan een uur.

5   Schrijfoefening

Beantwoord de volgende vragen met een passieve zin in het praesens. De vragen hebben betrekking op tekst 1 (Staat, provincie, gemeente).

Voorbeeld:
Hoe noemt de grondwet het staatshoofd?
Het staatshoofd wordt door de grondwet de koning genoemd.

Hoe noemt men het parlement officieel?
Het parlement wordt officieel Staten-Generaal genoemd.

1   Wie oefent de eigenlijke macht uit?
2   Waarmee vergelijkt men de Eerste Kamer?
3   Wie controleert het werk van de regering?
4   Wie kan de ministers naar huis sturen?
5   Wie kunnen wetsvoorstellen indienen?
6   Wie kunnen wetsvoorstellen verwerpen?
7   Wie zenden de zittingen van de Tweede Kamer uit?
8   Hoe vaak houdt men normaal gesproken verkiezingen voor de Tweede Kamer?
9   De regering kan niet regeren zonder meerderheid in de Tweede Kamer. Hoeveel kamerleden moeten in ieder geval het beleid van de regering steunen?
10 Hoeveel politieke partijen vormen meestal de regering?
11 Wie staan de ministers bij?

6   Vocabulaire-oefening

Volgende tekst lijkt inhoudelijk veel op tekst 1.

Vul het weggelaten woord in.

Nederland is een koninkrijk. Dat betekent dat het ... een koning of koningin is.
Het ... bestaat uit de Eerste en de Tweede Kamer. De Eerste Kamer, te ... met
een senaat in het buitenland, is lang niet zo ... als de Tweede Kamer, want de
... moet aan de Tweede Kamer verantwoording afleggen van haar beleid.
Een wetsvoorstel kan door de Tweede Kamer worden ... en door de Eerste
Kamer worden ..., maar in de praktijk komt dat zelden voor.
De zittingen van de Tweede Kamer zijn ... . Via de kabel worden ze in zijn
geheel door de radio uitgezonden en in geval van een belangrijk debat kan men
ook via de televisie ... wat er gezegd wordt.
In principe worden er iedere vier jaar ... voor de Tweede Kamer ... . Er zijn
soms wel twintig politieke ... die kandidaten naar voren brengen op wie men
kan ... .
Natuurlijk heeft de regering een ... in de Tweede Kamer nodig, maar er is niet
één ... groot genoeg om het vereiste aantal te bereiken. Daarom is het
onvermijdelijk dat Nederland een ... heeft.
De ... wordt gevormd door de minister-president en de ... .
De ministers worden ... door staatssecretarissen. Deze staatssecretarissen zijn
verantwoordelijk voor een ... van het werk van een ministerie.

7 Vocabulaire-oefening

Vul in het schema hieronder de gevraagde woorden in.

1 De ... Kamer is belangrijker dan de Eerste Kamer.
2 Nederland is geen republiek maar een ....
3 De Staten-Generaal is de officiële naam voor het ....
4 Vroeger had de koning veel meer ... dan nu.
5 Een ander woord voor constitutie is ....
6 De Eerste Kamer ... het werk van de Tweede Kamer.
7 In Amsterdam staat een koninklijk paleis. Dat paleis heet het paleis op de ....
8 De ... voor de Tweede Kamer worden eens in de vier jaar gehouden.
9 De minister-president en de ministers vormen samen de ....
10 De vertegenwoordiging van een politieke partij in de Tweede Kamer heet een ....

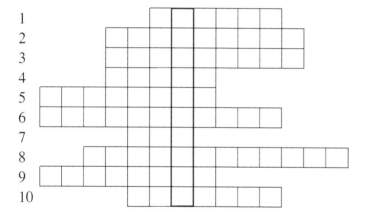

Als u alle woorden goed hebt ingevuld, verschijnt in de kolom in het midden de naam van een koningin van Oranje.

8 Tekst

Provincie en gemeente

Nederland telt op het ogenblik twaalf provincies.
Het algemeen bestuur van een provincie wordt gevormd door de provinciale staten, te vergelijken met de Tweede Kamer.

De provinciale staten benoemen uit hun eigen leden de gedeputeerde staten, te vergelijken met de ministers.

De voorzitter van beide organen is de commissaris van de koningin, benoemd door de kroon, dat wil zeggen: door de ministers en de koningin.

Ook iedere gemeente heeft zijn eigen bestuur. Zoals er op nationaal niveau twee organen zijn – de regering en het parlement –, zo kent ook het gemeentebestuur twee organen: het college van burgemeester en wethouders (meestal B. en W. genoemd) en de gemeenteraad.

Ook de gemeenteraad wordt om de vier jaar gekozen door de inwoners van de gemeente die 18 jaar of ouder zijn. Buitenlanders kunnen onder bepaalde voorwaarden aan de gemeenteraadsverkiezingen deelnemen.

De gemeenteraad kiest uit haar eigen leden een aantal wethouders. Hoeveel dat er zijn hangt af van het aantal inwoners van een gemeente. Iedere wethouder heeft zijn eigen taak of, zoals men officieel zegt, één of meer portefeuilles. Men kent wethouders van onderwijs, sociale zaken, volkshuisvesting, sport en recreatie, enzovoort.

De burgemeester wordt niet gekozen maar door de kroon benoemd.

De gemeente houdt zich met allerlei zaken bezig, zoals het onderhouden van straten en wegen, de riolering, de straatverlichting, de brandweer, de politie, het onderwijs, een deel van de woonvoorziening en van de maatschappelijke hulpverlening, voorzieningen als gas, elektriciteit en water, de medische zorg, parken en plantsoenen en in de grote steden het openbaar vervoer.

Het uitvoerende werk wordt, evenals bij het rijk en de provincie, door ambtenaren gedaan.

Bij gebeurtenissen in de familie heeft men ook met de gemeente te maken. Men moet bij voorbeeld naar het gemeentehuis voor de aangifte van de geboorte van een kind of van het overlijden van een familielid en voor het sluiten van een huwelijk.

9 Mondeling of schriftelijk

In de teksten 1 en 8 hebt u iets over de Nederlandse staat, de provincie en de gemeente gelezen.

Schrijf of vertel nu iets over uw eigen land. Doe dat door antwoord te geven op de volgende vragen en opdrachten:

1 Is uw land een monarchie, een republiek of nog iets anders?
2 Is uw land in provincies verdeeld of is uw land anders verdeeld?

3   Vertel of schrijf iets over het parlement in uw land.
4   Vertel of schrijf iets over regionale en lokale vormen van bestuur.
5   Hoe wordt in uw land het parlement en hoe worden de regionale en de lokale besturen gekozen?

10 Vocabulaire-oefening

Maak een zin in het perfectum van het passivum. Vul een vorm van het werkwoord 'zijn' in en een participium van het perfectum van een van de onderstaande werkwoorden.

Voorbeeld:
bouwen
Op de plaats van dit plantsoen ... nu huizen ... .
Op de plaats van dit plantsoen zijn nu huizen gebouwd.

bekendmaken   benoemen   goedkeuren   indienen
kiezen   ondertekenen   ontslaan   opbreken
verlenen   vertegenwoordigen

1   Er ... door meneer Van IJzeren een klacht bij de gemeente over de keuken van de buren ... .
2   De ambtenaar deed zijn werk niet goed en daarom ... hij ... .
3   Het wetsontwerp van de regering ... met een grote meerderheid van stemmen door de Tweede Kamer ... .
4   De nieuwe plannen van de minister van binnenlandse zaken ... zojuist via radio en televisie ... .
5   Nu ik tot gemeenteraadslid ... ... , krijg ik het erg druk.
6   De partij ... met dertig zetels in de Tweede Kamer ... .
7   Wij willen je een feest aanbieden, omdat je tot burgemeester ... .
8   Omdat de riolering vernieuwd moet worden, ... de straat ... .
9   Al deze brieven ... door de wethouder van onderwijs ... .
10 Er ... een rijkssubsidie van één ton voor dit project ... .

11 Leesoefening

In tekst 8 hebt u kunnen lezen dat u in uw leven te maken kunt krijgen met de gemeente.

Hieronder worden enige situaties genoemd, waarvoor men de gemeente moet benaderen. Dat zijn de zinnen met een cijfer.
In de zinnen met een letter staat bij welke instantie of bij welke dienst men moet zijn.
Zoek de juiste combinatie bij elkaar.

Bij voorbeeld:
Bij zin 1 (Wij hebben gisteren een zoon gekregen) hoort zin a.
(Gefeliciteerd. Ben je al naar het stadhuis geweest om aangifte te doen?).

1 Wij hebben gisteren een zoon gekregen.
2 Ik woon nu al twee dagen in mijn nieuwe huis, maar ik heb nog steeds geen gas en elektriciteit.
3 Ze hebben de vuilniszakken niet opgehaald.
4 De boom aan de overkant van de straat is inmiddels zo groot dat hij alle zon wegneemt.
5 Wij willen op 20 april een kleine voetbalwedstrijd organiseren.
6 Ze hebben hier wel het trottoir gerepareerd, maar er ligt al tien dagen lang een zandhoop.
7 Mijn oom is overleden en ik ben zijn enige familielid in Nederland.
8 Ik wou graag een maandabonnement voor de bus.
9 Ik zoek een geschikte school voor mijn zoontje van twaalf jaar.
10 Er is hier een ernstig ongeluk gebeurd. We hebben onmiddellijk een ambulance nodig.
11 Ik zou graag hier in Nederland een goede baan willen hebben.
12 In het hele huis ruik je de wc.
13 Ik ben van plan een schuur in mijn tuin te bouwen.
14 Het huis van de buren staat in brand!
15 Er is al een week lang een ruit in mijn flat kapot en er komt niemand om hem te maken.
16 De buren blijven 's nachts lawaai maken ondanks al onze verzoeken om stil te zijn.

a Gefeliciteerd. Ben je al naar het stadhuis geweest om aangifte te doen?
b Gecondoleerd. Nu zul je op het gemeentehuis wel aangifte van het overlijden moeten doen.
c Dan moet je eens naar het Gewestelijk arbeidsbureau (GAB) gaan.
d Dan moet je om toestemming vragen bij de Dienst bouw-en woningtoezicht.
e Bel onmiddellijk de brandweer.
f Bel het Gemeentelijk energiebedrijf (GEB) maar eens.

g   Bel onmiddellijk de Gemeentelijke geneeskundige en gezondheidsdienst (GG en GD), het alarmnummer.

h   Waarom schrijf je niet naar de Afdeling groenvoorziening?

i   Bel naar de Dienst openbare werken, afdeling bestrating.

j   Bel naar de Afdeling openbare werken, afdeling riolering.

k   Zullen we de politie eens laten komen?

l   We moeten de Reinigingsdienst maar eens bellen.

m   Misschien kun je eens bij het Schooladviescentrum gaan praten.

n   Misschien kan de Dienst sport en recreatie ons helpen.

o   Dan moet je naar het Gemeentelijk vervoersbedrijf gaan.

p   Schrijf eens een brief aan de Dienst woningbeheer.

12 Vocabulaire-oefening

Vul in het onderstaande schema de antwoorden op de volgende vragen in.

1   Naam van het binnenplein in Den Haag waaromheen de gebouwen van het parlement staan.

2   Het parlement bestaat uit de Eerste en de Tweede .... .

3   Afkorting van de grootste christelijke partij in Nederland.

4   Bloem die in Nederland veel gekweekt wordt.

5   Nederlandse stad met zeer grote haven.

6   Naam van de luchthaven bij Amsterdam.

7   De oudste zoon van koningin Beatrix en prins Claus heet Willem-.... .

a

1	1	2	3	4	5	6	7	8	9
2	10	11	12	13	14				
3	15	16	17						
4	18	19	20	21					
5	22	23	24	25	26	27	28	29	30
6	31	32	33	34	35	36	37	38	
7	39	40	41	42	43	44	45	46	47

Vul nu hieronder de letters in die corresponderen met de cijfers hierboven.

b

1	13	17	18	27	34	42

In figuur b verschijnt nu de naam van een koningin van Oranje.

13 Tekst

Brief aan B. en W.

Het College van B. en W.   G. J. van IJzeren
Afdeling bouw- en woningtoezicht   Vuurtorenlaan 7
Postbus 1287   2041 GB Zandvoort
2040 AB Zandvoort

Zandvoort, 5 november 19..

Geachte dames en heren,

Hierbij dien ik een klacht in tegen de verbouwing van de keuken van het pand
aan de Vuurtorenlaan 5 te Zandvoort. Ik ondervind hinder van de verbouwde
keuken, omdat daardoor de zon helemaal niet meer in mijn huis komt. Volgens
mij heeft de eigenaar van het desbetreffende pand ook niet precies de
bouwtekeningen gevolgd. Gesprekken met hem daarover hebben tot nu toe
niets uitgehaald.

Bovendien springen alle katten van het nieuwe keukendak mijn slaapkamer
binnen. Zij veroorzaken veel stank, met als gevolg dat ik het raam van mijn
slaapkamer niet meer open kan zetten.

Daarom wend ik mij tot u met het verzoek de eigenaar te dwingen zijn keuken
in de oorspronkelijke staat terug te brengen.

Hopende dat u spoedig tot actie zult overgaan teken ik,

hoogachtend,

G.J. van IJzeren

14 Vocabulaire-oefening

Vul in de onderstaande brief de volgende woorden in. Zet ze, waar nodig, in de juiste vorm.

eigenaar	hinder	indienen	ondervinden
overgaan	overlast	stank	terugbrengen
uithalen	veroorzaken	zich wenden	

College van Burgemeester en Wethouders
Afdeling hinderwetzaken
Rembrandtstraat 9
8801 PW Lutjelollum

K. C. Dick
Hoofdstraat 10
8801 CR Lutjelollum

Lutjelollum, 19 april 19..

Geachte dames en heren,

Hierbij ... ik een klacht ... tegen de aanwezigheid van het autoverhuur- en reparatiebedrijf 'De snelle service', Hoofdstraat 12 alhier.

Overdag ... ik veel ... van het bedrijf door de scherpe ... , die ... wordt door het spuiten van auto's. Tot diep in de nacht worden er huurauto's ... . Het lawaai tot zo laat in de nacht geeft veel ... , zodat het onmogelijk is genoeg slaap te krijgen.

Ik ... ... nu tot u, omdat gesprekken met de ... van het bedrijf niets hebben ... .

Ik hoop dat u snel tot actie zult ... .

Hoogachtend,

K.C. Dick

15 Schrijfoefening

Opdracht 1
Schrijf een brief aan het College van B. en W., Afdeling hinderwetzaken.
In deze brief:
– klaagt u over het lawaai van een discobar bij u in de buurt
– zegt u wat u al hebt gedaan om dit probleem op te lossen
– zegt u wat u van het College van B. en W. verwacht.

Opdracht 2
Schrijf een brief aan het College van B. en W., Afdeling openbare werken.
In deze brief:
– zegt u dat de straat waarin u woont een gevaarlijke straat is
– vertelt u waarom uw straat een gevaarlijke straat is
– vertelt u welke ongelukken er al zijn gebeurd
– doet u voorstellen om de verkeerssituatie te verbeteren
– vraagt u aandacht voor het probleem

Opdracht 3
Schrijf een brief aan het College van B. en W.
Bedenk zelf een klacht die u bij het College wilt indienen.

16 Schrijfoefening

Vervang 'men' door 'je' of 'ze'. Let op de persoonsvorm.
'Men' veronderstelt mensen in het algemeen.
Bij voorbeeld:
Waarom moet men iets over de gemeente weten? (Waarom moeten de mensen iets over de gemeente weten?)
In plaats van Burgemeester en Wethouders zegt men meestal alleen maar B. en W. (de mensen zeggen meestal alleen maar B. en W.)

'Je' veronderstelt een persoon in het algemeen.
Bij voorbeeld:
Waarom moet je iets over de gemeente weten?

'Ze' veronderstelt meer dan een persoon in het algemeen.
Bij voorbeeld:
Wat kunnen ze daar voor iemand doen? ('ze' = de mensen die bij de gemeente werken).

Gesprek tussen Paola en Jeroen

Paola   Waarom moet men iets over de gemeente weten?

Jeroen   Dat is nodig omdat men vaak met de gemeente te maken heeft. Voor een ernstige klacht kan men zich het beste meteen tot B. en W. wenden.

Paola   Wat betekent B. en W.?

Jeroen   Het college van Burgemeester en Wethouders, maar men zegt meestal alleen maar B. en W.

Paola   Men zegt dat men voor allerlei dingen naar de gemeente moet gaan. Wat kan men dan daar voor je doen?

Jeroen   Men houdt zich daar met allerlei dingen bezig. Men moet zich tot de gemeente wenden als er iets niet in orde is met de straatverlichting, met de voorziening van gas, elektriciteit en water of als men last heeft van bomen die de zon uit je huis wegnemen. Daarmee kan men dan helpen.
Ook moet men voor bepaalde dingen toestemming hebben. Men mag bij voorbeeld niet zomaar een huis ingrijpend verbouwen.

Paola   Als men in het telefoonboek kijkt, dan ziet men zoveel verschillende afdelingen en diensten van de gemeente. Hoe kan men weten bij welke instantie men moet zijn?

Jeroen   Dan moet men de afdeling Voorlichting en Public Relations bellen. Daar geeft men uitgebreide informatie over alle instanties.

17 Spreekoefening   ▭

'Er' als subject van een passieve zin.

'Er' als subject van een passieve zin wordt gebruikt wanneer de zin geen echt subject heeft. (zie ook 3)
'Er wordt hier niet hard gewerkt' betekent: de mensen werken hier niet hard, men werkt hier niet hard.
In de volgende oefening gaat het om iemand die kritiek heeft op ambtenaren.

Voorbeeld:
+ *Ik vind dat de mensen hier niet hard werken.*
− *Dat klopt. Er wordt hier niet hard gewerkt.*

18 Luisteroefening ▦

Interview met de heer Jansen, burgemeester van Krimpen aan den IJssel en met de heer Bulder, de voorganger van de heer Jansen.
Luister naar de cassette en vul de weggelaten woorden in.

I   = Interviewer
J   = Jansen
B   = Bulder

I   Meneer Jansen, u bent ... geweest van Rotterdam. Welke ... had u?
J   In de laatste periode had ik de ... van milieuzaken, openbare werken, ... en recreatie.
I   Dat is ... wat in Rotterdam.
J   Dat is een vrij diverse ... , als je dan ook nog ... dat nog wat projecten ... kwamen in de sfeer van de vandalismebestrijding. Ja, dat is een heel gevulde dagtaak geweest in die ... .
I   Ja. Hoe ... heeft u dat ... ?
J   Ik ben zes jaar ... geweest. Daarvoor nog ... jaar in de ... gezeten, dus alles bij ... , eh, negen ... Rotterdamse ... .
I   Was dat ook nog een ... voor u, meneer Bulder, in de ... dat u ... was van Krimpen aan den IJssel, dat u te maken had met vandalisme, of dat nou ... is of ... kleine criminaliteit?
B   Jazeker hadden wij ermee te maken. We hebben ook van alles ... om het ... te gaan.
J   Ik heb overigens een goed ... voor de ... Bulder. Hij heeft de Krimpense ... de laatste ... niet kunnen volgen, maar de ... gulden subsidie die nog in uw ... is aangevraagd, is inmiddels ontvangen en we ... met het project, dat preventiegericht is, een aanvang ... nemen.
B   Prachtig, prachtig, prachtig, prachtig.
I   Subsidie van het ... ?
J   Subsidie van het ... en een deel van de provincie. Een project dat ... met de Leidse universiteit uitgevoerd gaat ... , wat ... zeer veelbelovend ... . Voor een deel ... , voor een deel ook ... .

19 Schrijfoefening/luisteroefening ▦

Luister nog een keer goed naar het luisterstuk bij luisteroefening 18 (het interview met burgemeester Jansen en burgemeester Bulder).

Maak de volgende zinnen af. Volg goed de inhoud van het luisterstuk.

1 Toen de heer Jansen nog in Rotterdam was, ...
2 Op de vraag van de interviewer wat de heer Jansen van zijn Rotterdamse periode vond, antwoordde de heer Jansen dat ...
3 De heer Jansen heeft een nieuwtje voor de heer Bulder, nl. dat ...

20 Tekst

Gesprek tussen twee buren over gemeenteraadsverkiezingen

A Morgen moeten we weer stemmen, hè?
B Ja, maar ik denk niet dat ik het doe.
A Nee? Waarom niet?
B Ach, ik heb morgen overdag geen tijd en 's avonds om zeven uur gaan de stemlokalen al dicht. En ik weet eigenlijk ook niet op wie ik moet stemmen. Er zijn zoveel kandidaten. Ze beloven veel, maar doen uiteindelijk niets.
A Ik vind wel dat je moet stemmen. Als je niet stemt, laat je een kans voorbij gaan om je mening te geven. Daarom stem ik wel.
B Op wie dan?
A Op Annie Blom.
B Op dat mens dat in haar verkiezingsprogramma zegt: 'Wees niet dom! Stem op Annie Blom!'? Hoe kom je erbij!
A Nou, je hebt toch wel gehoord dat ze een kampeerterrein in het bos willen maken, waar mensen met hun caravan kunnen staan? Het was er juist zo heerlijk rustig. Nu wordt het er natuurlijk een bende. Annie Blom verzet zich er tenminste tegen.
B Ja. Maar nu denk je alleen aan een heel klein stukje eigenbelang. Zou je niet liever op een van de grotere partijen stemmen? Die houden tenminste meer de algemene belangen in het oog. Bovendien vind ik dat mensen het recht moeten hebben om op een heerlijke plek te kunnen kamperen. Denk maar eens aan al die mensen die ergens hoog in een flatgebouw in de stad wonen en nooit zon krijgen.
A Nou, die grote partijen krijgen toch wel een meerderheid in de raad. Ik wil juist een van de kleinere partijen steunen.
B Nee, dat vind ik niet verstandig van je.
A Ah, zie je wel! Je begint ook na te denken. Ga toch maar stemmen.

21 Mondeling of schriftelijk

Hieronder volgen een paar punten die in een periode van verkiezingen actueel kunnen zijn.
Geef uw mening over deze controversiële punten door te zeggen:
'Ik vind dat...' of
'Ik vind niet dat...'

1   De wegenbelasting moet omhoog en de benzine moet duurder worden.
    De wegenbelasting moet omlaag en de benzine moet goedkoper worden.
2   De politie moet harder tegen de kleine criminaliteit optreden.
    De politie moet de kleine criminaliteit niet streng straffen.
3   Roken in openbare gebouwen moet verboden worden.
    Roken in openbare gebouwen mag niet worden verboden.
4   De hondenbelasting moet omhoog.
    De hondenbelasting moet omlaag.
5   De binnenstad van grote steden moet worden afgesloten voor het verkeer.
    Het verkeer moet tot de binnenstad van grote steden worden toegelaten.
6   Winkels moeten zich aan bepaalde openings- en sluitingstijden houden.
    Winkels moeten vrij zijn om hun eigen openings- en sluitingstijden te bepalen.
7   Auto's mogen op snelwegen niet harder rijden dan 120 kilometer per uur.
    Auto's moeten harder mogen rijden dan 120 kilometer per uur.

22 Luisteroefening 📼

Luister naar de tekst 'Stad en dorp', een gesprek tussen een bewoonster van een dorp en een bezoekster.

U hoort nu nog een keer de tekst over 'Stad en dorp', maar nu in een wat andere vorm en in korte fragmenten.
Na ieder fragment moet u in uw boek aangeven of zin a, zin b of zin c de beste aanvulling is van het fragment dat u gehoord hebt.
Het einde van een fragment wordt aangegeven door een signaal.

1   a   maar nu woont ze hier.
    b   maar nu is ze naar Amsterdam verhuisd.
    c   maar daarvoor woonde ze in Amsterdam.

2   a   ze is ook heel sympathiek.
    b   ze beslist ook wat er hier moet gebeuren.
    c   ze is hier samen met haar man.

3   a   want er is hier geen slager.
    b   want ze eet zelf iedere dag worst.
    c   want ze heeft last van de stank.

4   a   moet hij of zij zich aanpassen aan de situatie hier.
    b   moet hij of zij zich aanpassen aan de manier van leven in Amsterdam.
    c   moet hij of zij maar naar Amsterdam verhuizen.

5   a   Ja, ze is naar de rechter gestapt.
    b   Nee, ze is naar de rechter gestapt.
    c   Ja, ze is naar de gemeenteraad gestapt.

6   a   Die stank was dus haar enige probleem.
    b   Die stank was dus niet haar enige probleem.
    c   Ze heeft dus alleen in die zaak van de stank succes gehad.

7   a   dus om 2 uur.
    b   dus om 5 uur.
    c   dus om 7 uur.

8   a   Wat hadden ze allemaal kapot gemaakt?
    b   Hoe waren ze haar huis binnengedrongen?
    c   Waarom zijn ze niet eerder in actie gekomen?

23 Spreekoefening

Die mevrouw had in Amsterdam moeten blijven wonen. (tekst bij luisteroefening 22)
Ze hebben mazen in de wet kunnen vinden. (tekst bij luisteroefening 22)

Twee infinitieven in perfectum of plusquamperfectum.

Sommige werkwoorden worden niet gevolgd door *te* + infinitief.

Als zo'n werkwoord in de voltooide tijd staat (perfectum of plusquamperfectum) verandert het participium in een infinitief. Er komen dan twee infinitieven.

Voorbeeld:
Praesens: Ik kan de burgemeester spreken.
Perfectum: Ik heb de burgemeester kunnen spreken.
Plusquamperfectum: Ik had de burgemeester kunnen spreken.

Vorm een zin in het perfectum met twee infinitieven.

Voorbeeld:
+ *Is het gelukt? Heb je de burgemeester gesproken?*
− *Ja, ik heb de burgemeester kunnen spreken.*

24 Spreekoefening

Maak zinnen in het plusquamperfectum met twee infinitieven.

Voorbeeld:
+ *Heb je het gemeentehuis gebeld?*
− *O jé, dat is waar ook. Ik had het gemeentehuis moeten bellen, maar ik heb het vergeten.*

25 Spreekoefening

Twee infinitieven in het perfectum.

Voorbeeld:
+ *Heb je je haar zelf geknipt?*
− *Nee, natuurlijk niet. Ik heb het laten knippen.*

Gebruik in uw antwoord steeds 'laten'.

26 Tekst

Vuilnisman van particulier bedrijf loopt harder

Verkoopleider J. Elsing van het particuliere reinigingsbedrijf Spitman
Reiniging in Renkum verdedigt de stelling dat het voor elke gemeente
financieel aantrekkelijk is het ophalen van huisvuil uit te besteden. Met andere
woorden: particuliere bedrijven zijn altijd goedkoper dan gemeentelijke
diensten.
Een onderzoek van het Instituut voor Onderzoek van Overheidsuitgaven
bevestigt zijn woorden. Gemeenten die het ophalen van huisvuil uitbesteden,
zijn gemiddeld 26% goedkoper uit.
De arbeidsproductiviteit is bij particuliere ondernemingen hoger dan bij de
gemeentelijke reinigingsdienst, zegt Elsing. 'Nee, ik wil daarmee beslist niet
zeggen dat ambtenaren lui zijn. Dat is onzin.'
Het verschil is o.a. dat particuliere ondernemingen in tegenstelling tot
gemeentelijke diensten, moeten concurreren.

27 Schrijfoefening

Vul de weggelaten woorden in. Volg tekst 26 'Vuilnisman van particulier
bedrijf loopt harder'.

Door J. Elsing, verkoopleider van het Reinigingsbedrijf Spitman Reiniging te
Renkum ... beweerd dat het voor een gemeente ... is, wanneer het huisvuil
door een particulier bedrijf ... .
Dit ... niet alleen door de heer Elsing..., maar het blijkt ook uit een ... dat ...
het Instituut voor Onderzoek van Overheidsuitgaven verricht ...
Gemeenten waar het ophalen van huisvuil ... . zijn gemiddeld 26%
goedkoper uit omdat de arbeidsproductiviteit bij particuliere ondernemingen
hoger ... .
'... zeggen wel eens van ... dat die ... hard werken, maar daar moet ...
voorzichtig mee zijn, want dat is natuurlijk ...,' zegt Elsing.
Het verschil ... door een andere oorzaak verklaard. Particuliere ondernemingen
worden met concurrentie geconfronteerd, terwijl ... daar bij de gemeente geen
rekening mee hoeven te houden.

28 Luisteroefening 📼

Buurt in balans

Luister naar de tekst 'Buurt in balans' en beantwoord daarna de volgende vragen (één antwoord is juist).

1 De eerste bewoner uit het luisterstuk kan met de andere buurtbewoners niet goed opschieten. Hij vindt het zelfs in Oudwijk niet normaal. Dat komt
   a omdat hij uit de Sterrenwijk komt.
   b omdat hij vindt dat de mensen erg jaloers zijn.
   c omdat de mensen zijn nieuwe gordijnen niet mooi vinden.

2 De tweede bewoonster heeft pas een nieuwe wasmachine gekocht. Zij vertelt dat feit om te laten zien
   a dat ze blij was met die wasmachine.
   b dat ze veel geld heeft.
   c dat de buurt zich overal mee bemoeit.

3 De derde bewoonster kan wel goed met de andere buurtbewoonsters opschieten en heeft in Oudwijk al veel vrienden gemaakt. Ze vindt het er prettig wonen
   a omdat er zo vaak een barbecue gehouden wordt.
   b omdat er een echt buurtleven is.
   c omdat er heel verschillende mensen wonen.

29 Spreekoefening 📼

Gebruik 'het', 'hem' of 'ze'.*

Voorbeeld:
+ *Heb je geen huiswerk bij je?*
− *Nee, wat dom. Ik heb het thuis laten liggen.*

* Herhaling Help 1, les 5.

30 Spreekoefening 🔲

'Er ... een' vervangt een substantief in de singularis dat eerder in de tekst met het artikel 'een' is gebruikt.*

Voorbeeld:
Heb je een pen? – Ja, ik heb er een.

Doe nu de volgende oefening.

Voorbeeld:
+   *Ik heb een woordenboek gekocht.*
−   *O, ik ga er ook een kopen.*

* Herhaling Help 1, les 4.

31 Spreekoefening 🔲

Het gebruik van 'er...een' en van 'wat'.
'Er...een' vervangt een substantief dat eerder in de tekst werd gebruikt en dat je kunt tellen. (zie vorige oefening)
'Wat' vervangt een substantief dat eerder in de tekst werd gebruikt en dat je niet kunt tellen.

Voorbeeld:
+   *Zijn er nog broodjes?*
−   *Ja. Wil je er nog een?*

+   *Is er nog appelsap?*
−   *Ja. Wil je nog wat?*

32 Spreekoefening 🔲

'Die' en 'dat' met nadruk.
'Die' en 'dat' kan men gebruiken in plaats van een substantief dat bekend verondersteld wordt.
'Die' vervangt een de-woord in de singularis en alle substantiva in de pluralis.
'Dat' vervangt een het-woord in de singularis.

Voorbeeld:

Niet alle kamers zijn te huur, maar wel de kamer op de eerste verdieping; die is te huur.

Niet alle huizen zijn te koop, maar wel het huis hier op de hoek; dat is te koop.

Verhuurt u in dit huis geen kamers? – Nee. – Ook niet de kamers op de eerste verdieping? – Ja, die verhuur ik wel.

Zijn de huizen van deze woningbouwvereniging te koop? – Nee. – Ook niet de huizen die vóór 1960 gebouwd zijn? – Ja, die zijn wel te koop.

Doe nu de volgende oefening.

Voorbeeld:

+ *1 Waar staat de koffie?*
+ *2 In de kamer.*
+ *1 En de thee?*
− *Die staat in de keuken.*

Gebruik in uw antwoord dus 'die' of 'dat' en 'in de keuken'.

33 Vocabulaire-oefening

Vul in het schema hieronder verticaal het antwoord op de volgende vragen in.

1 Maand waarin koningin Beatrix jarig is.
2 Stad in het midden van Nederland.
3 De Tweede Kamer telt 150 ....
4 Zus van koningin Beatrix.
5 De grootste socialistische partij in Nederland heet de Partij van de ....
6 Land dat grenst aan België en aan Duitsland en dat aan de Noordzee ligt.
7 De hoofdstad van Nederland.

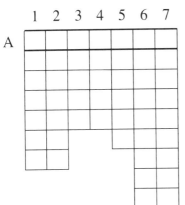

Als u alles goed hebt ingevuld, verschijnt er op regel A horizontaal de naam van een koningin van Oranje.

Les zes – De Nederlander

1   Tekst   📼

Een buitenlander over Nederlanders

Ik woon een jaar of vijf in Nederland. Dat is een heel ander land dan mijn
geboorteland. Nederland is erg vlak, er is veel water en het weer verandert
3 er voortdurend.
En de Nederlanders? Zijn die anders dan de mensen uit mijn eigen land?
Ik heb me dat vaak afgevraagd. Natuurlijk, de Nederlanders hebben hun eigen
gewoontes. Ik noem er een paar. Ze eten maar één keer per dag warm. Ze
7 drinken veel koffie en presenteren daarbij één koekje. Verjaardagen vinden ze
8 belangrijk: die worden zelden overgeslagen.
Dat zijn typisch Nederlandse gewoontes. Maar de vraag is of er ook typisch
Nederlandse karaktereigenschappen zijn.
Ik hoor vaak zeggen dat de Nederlander zuinig is. Maar als je ziet hoeveel geld
er wordt bijeengebracht voor bij voorbeeld gehandicapten of voor slachtoffers
van een ramp, denk ik: zuinig?
Ik hoor vaak zeggen dat de Nederlander zijn gevoelens niet kan uiten, dat hij
niet kan feesten. Maar toen in 1988 het Nederlands voetbalelftal Europees
kampioen werd, leek het alsof in heel Nederland het Carnaval van Rio was
losgebarsten.
Toen er nog geen televisie was, toen er nog weinig gereisd werd, kon je de
illusie hebben dat iedere nationaliteit zijn eigen karakter had. Maar nu er overal
televisie is, nu er veel gereisd wordt, kan iedereen zelf vaststellen dat typisch
Nederlands of typisch Frans of typisch Indonesisch overal voorkomt. Men leeft
in Nigeria of in Finland anders dan in Nederland. Dat komt omdat de natuur en
het klimaat van deze landen verschillend zijn. Maar dat betekent niet dat het
karakter van de Nigeriaan of van de Fin wezenlijk anders is dan het karakter van
de Nederlander.
Zuinige mensen heb je overal, niet alleen in Nederland. Gedisciplineerde
mensen heb je ook overal, niet alleen in Duitsland. Mensen die bij het praten
hun handen gebruiken vind je in de hele wereld, niet alleen in Italië. En mensen
die goed kunnen dansen komen overal voor, niet alleen in Brazilië.

2 Leesoefening

Hieronder volgt een aantal beweringen over tekst 1. Als de inhoud van die beweringen in de tekst staat, zet dan een kruisje onder 'dat staat in de tekst'; als de inhoud van de bewering niet in de tekst staat, zet dan een kruisje bij 'staat niet in de tekst'.

1 De 'ik' woont één jaar in Nederland.
2 De 'ik' is in Nederland geboren.
3 De Nederlanders gebruiken per dag één warme maaltijd.
4 De Nederlander viert vrijwel ieder jaar zijn verjaardag.
5 De 'ik' vindt de Nederlanders zuinig.
6 Toen het Nederlands voetbalelftal Europees kampioen werd, werd er in heel Nederland feest gevierd.
7 Mensen die televisie hebben reizen meer dan mensen die geen televisie hebben.
8 Omdat Nederland een ander klimaat heeft dan Nigeria, heeft de Nederlander een ander karakter dan de Nigeriaan.

dat staat in de tekst	dat staat niet in de tekst
1	
2	
3	
4	
5	
6	
7	
8	

3 Mondeling of schriftelijk

1 In tekst 1 worden een paar Nederlandse gewoontes genoemd. Kunt u een paar gewoontes uit uw eigen land noemen?
2 De schrijver van tekst 1 zegt dat er geen typisch Nederlandse karaktereigenschappen bestaan. Bent u dat met de schrijver eens? Als u dat niet met de schrijver eens bent, wat zijn dan volgens u typisch Nederlandse karaktereigenschappen?
3 Volgens de schrijver van tekst 1 hebben de natuur en het klimaat van een land geen invloed op het karakter van zijn bewoners. Vindt u dat ook? Als u vindt dat er wel een verband is tussen natuur en het klimaat van een land aan de ene kant en het karakter van de mensen aan de andere kant, kunt u dan voorbeelden geven van zo'n verband.
4 Naar welk woord verwijst 'er' in regel 3?
5 Naar welk woord verwijst 'daarbij' in regel 7?
6 Naar welk woord verwijst 'die' in regel 8?
7 Uit welke twee woorden blijkt dat er niet alleen geld wordt bijeengebracht voor gehandicapten en voor slachtoffers van een ramp maar ook voor andere categorieën?

4 Vocabulaire-oefening

In tekst 1 staat: verjaardagen worden zelden overgeslagen. Dit betekent: verjaardagen worden bijna altijd gevierd, worden bijna nooit vergeten, worden bijna altijd belangrijk gevonden. Hier volgen nog een paar zinnen met 'overslaan'.
Je hebt zin 8 vertaald en daarna zin 10, maar je hebt zin 9 overgeslagen. Dit betekent: je hebt zin 9 niet vertaald, je hebt zin 9 vergeten te vertalen.
Je hebt iedereen koffie gegeven, maar je hebt mij overgeslagen. Dit betekent: je hebt mij geen koffie gegeven.

Verander de gegeven zinnen. Gebruik in de nieuwe zin 'overslaan'.

Voorbeeld:
+ *Ik heb dit jaar mijn verjaardag niet gevierd.*
− *Ik heb dit jaar mijn verjaardag overgeslagen.*

1 Ik heb dit jaar mijn verjaardag niet gevierd.
2 Je hebt zin 9 niet vertaald, zin 8 en 10 wel.

3   De leraar heeft les 4 niet behandeld, alle andere lessen wel.
4   Hij gaf alle gasten een hand, behalve Joris Winkels.
5   Ik dacht dat je iedere morgen ging zwemmen.
    Dat is ook zo, maar vandaag ben ik niet gegaan.
6   Na pagina 36 las hij pagina 38. Hij vond pagina 37 niet belangrijk.
7   Deze opgave is veel te moeilijk. Hoeven we die niet te maken?
    (Begin de nieuwe zin met 'Mogen...')
8   Ik mis geen enkel concert van deze popgroep.

5   Vocabulaire-oefening

Gebruik in de volgende zinnen 'herhalen' of 'overslaan'. Zet deze
werkwoorden in de vereiste vorm.

1   Ik heb u niet verstaan. Wilt u uw vraag alstublieft ... ?
2   Ik weet niet wat de spreker vindt van het verband tussen klimaat en
    karakter, want dat gedeelte heeft hij bij zijn lezing ... .
3   'Ik heb geen zin om alles tien keer te ... ,' zei de leraar.
4   'Waarom denk je dat ik deze oefening ... ?'
    'Omdat hij niet nuttig is.'
    'Precies.'
5   Ik heb vandaag geen beurt gehad. De leraar heeft mij ... .
6   Je moet deze oefening vaak ... , anders vergeet je hem weer snel.

6   Mondeling of schriftelijk

Separabele werkwoorden.*
Als er in een tekst een separabel werkwoord staat dat men niet kent, kan men de
betekenis van dat werkwoord in een woordenboek opzoeken. Maar in het
woordenboek staat van het separabele werkwoord de infinitief, niet het
imperfectum of het participium e.d.
Daarom een kleine oefening over de infinitief van separabele werkwoorden

In de volgende zinnen uit tekst 1 staan vormen van separabele werkwoorden.
Geef van deze separabele werkwoorden de infinitief.

Voorbeeld:
Ik heb me dat vaak afgevraagd.

Infinitief: zich afvragen

1   Verjaardagen worden nooit overgeslagen.
    Infinitief:

2   Er wordt veel geld bijeengebracht voor gehandicapten.
    Infinitief:

3   Het carnaval is losgebarsten
    Infinitief:

4   Iedereen kan vaststellen dat typisch Nederlands overal voorkomt.
    Infinitief:
    Infinitief:

5   Mensen die goed kunnen dansen vind je niet alleen in Brazilië; die komen
    overal voor.
    Infinitief:

* Herhaling Help 1, les 6

7   Spreekoefening 🔲

Separabele werkwoorden.

Voorbeeld:
+   *Wat zullen we doen, blijven of weggaan?*
−   *We gaan weg.*

Gebruik in uw antwoord steeds de tweede mogelijkheid. Begin het antwoord
met 'we'.

8   Spreekoefening 🔲

Separabele en niet-separabele werkwoorden.

Voorbeeld:
+   *Moet ik de borden nog afwassen?*
−   *Nee, dat hoeft niet. Ik heb ze al afgewassen.*

9 Spreekoefening

Separabele werkwoorden.

Voorbeeld:

\+ *Ik ga niet uit. Want het regent te hard.*
\- *Je hebt gelijk. Het regent te hard om uit te gaan.*

10 Spreekoefening

Separabele en niet-separabele werkwoorden.

Voorbeeld:

\+ *Jan gaat niet mee. Hij heeft geen tijd.*
\+ *En Annie?*
\- *Zij heeft ook geen tijd om mee te gaan.*

11 Mondeling of schriftelijk

Separabele werkwoorden
Zet het werkwoord tussen haakjes ( ) in de juiste vorm en op de juiste plaats.

Voorbeeld:

\+ *Ik (opstaan) niet meteen.*
\- *Ik sta niet meteen op.*

1 Ik word iedere morgen om zeven uur wakker van de wekker.
2 Ik (opstaan) niet meteen.
3 Ik (omdraaien) me nog eens lekker en blijf nog een paar minuten in mijn warme bed liggen.
4 Als ik mijn moeder hoor roepen: Suzanne, je moet (opstaan), het is de hoogste tijd, spring ik uit mijn bed, neem een douche en (aankleden) me.
5 Voor een rustig ontbijt heb ik geen tijd: ik smeer een paar boterhammen die ik op weg naar de trein (opeten).
6 In de trein lees ik de krant. Soms (meelezen) de man of de vrouw die naast me zit. Ik vind dat niet erg.
7 Maar een keer heb ik (meemaken) dat de man naast me zei: Wilt u de pagina nog niet (omslaan), ik ben nog niet klaar met dat artikel. Dat gaat

natuurlijk te ver.

8 Ik hoefde dan ook niet lang (nadenken) te over mijn antwoord. Ik zei: meneer, als u dat artikel zo belangrijk vindt, moet u zelf maar een krant kopen.

12 Spreekoefening

> Ik woon een jaar of vijf in Nederland. (tekst 1)

Een jaar of vijf betekent: ongeveer vijf jaar.
Hij heeft een dag of tien in het ziekenhuis gelegen.
Een dag of tien betekent: ongeveer tien dagen.

U hoort een vraag. Gebruik in uw antwoord 'een ... of ...'.

Voorbeeld:
+ *Hoe lang woont Carolien in Nederland? Vijf jaar?*
– *Ja, ik geloof dat ze een jaar of vijf in Nederland woont.*

Begin uw antwoord dus met: Ja, ik geloof dat...
Gebruik in uw antwoord steeds: zij/ze/het/hij.

13 Luisteroefening

Ans en Wim

Luister naar de cassette en beantwoord de volgende vragen.

1 Zijn Ans en Wim langer of korter dan 25 jaar getrouwd?
2 Hoe oud is Ans nu?
3 Waarom loopt Wim met pillen in zijn borstzak?
4 Hoe vaak zijn Ans en Wim verhuisd?
5 Hoeveel kinderen van Ans en Wim wonen er nog thuis?
6 Ans zegt: 'Het kan gebeuren dat mijn man er opeens niet meer is, maar dan heb ik wel mijn spullen.' Wat bedoelt Ans met 'mijn spullen'?
7 Wanneer kwam er wat meer welvaart in het gezin van Ans en Wim?

8   Wat aten Ans en Wim vroeger op maandag en op vrijdag?
9   Op welke dag van de week aten Ans en Wim verse groente?
10   Er wordt gezegd: in de jaren '70 werd hun wereld ineens veel ruimer. Wat betekent dat concreet?
11   In welk jaar zijn Ans en Wim voor het laatst met vakantie geweest?

14 Schrijfoefening

Opdracht 1 is bedoeld voor cursisten die in Nederland wonen; opdracht 2 voor cursisten die niet in Nederland wonen.

Opdracht 1

Rome, 29 september 19..

Beste ...

Zoals je misschien weet, ben ik van plan mijn vakantie in Nederland door te brengen. Ik heb een huisje gehuurd in Noordwijk aan Zee, van 2 juli tot 1 augustus.

Heb je voor mij nog een paar goede adviezen? Ik ben nog nooit in Nederland geweest en weet daarom niet precies wat ik allemaal moet meenemen of waaraan ik moet denken.

Bij voorbaat dank voor je antwoord.
Hartelijke groeten,

Paolo Grimaldi

Schrijf een brief waarin je Paolo Grimaldi een aantal adviezen geeft in verband met zijn vakantie in Nederland.

Opdracht 2

...... , ...

Beste Eva,

Toen je deze zomer in Nederland was, heb je me uitgenodigd voor een bezoek aan jouw land.

Ik wil van die uitnodiging graag gebruik maken. Zou je me kunnen vertellen welke tijd jou het beste uitkomt en hoe lang ik kan blijven. Zelf had ik gedacht aan een vakantie van een dag of tien.

Misschien kun je me ook al vertellen wat je me wilt laten zien of wat we zullen gaan doen, zodat ik me daar een beetje op kan voorbereiden.
Moet ik nog iets bijzonders meenemen?

Ik hoop dat je me spoedig zult antwoorden en ik verheug me nu al op mijn reis naar jouw mooie land.
Hartelijke groeten,

Christina

Schrijf een brief namens Eva waarin je antwoord geeft op de vragen van Christina.

15 Tekst

Kinderen in Nederland*

Ik heb het grootste deel van mijn leven in Frankrijk gewoond. Mijn dochter is er opgegroeid en heeft er de school bezocht tot en met haar eindexamen.
Ik heb heel wat Franse kinderen meegemaakt en er is geen twijfel aan: ze zijn veel beleefder en gehoorzamer dan Nederlandse kinderen.
De meeste Nederlanders zijn daarvan niet onder de indruk. Ze zien die keurige kindertjes in hun dure pakjes die ze niet vuil mogen maken, ze zien ze muisstil in het restaurant naast hun ouders zitten en zeggen:
Die kinderen hadden allang in bed moeten liggen. Ze vinden Franse kinderen 'gedresseerd' en zijn ervan overtuigd dat Nederlandse kinderen veel gelukkiger zijn.
Maar hoewel ik deze mening min of meer deel, heb ik over dat laatste mijn twijfels.
In Nederland is het vaak onmogelijk om met volwassenen een gesprek te voeren wanneer hun kinderen in de buurt zijn: ze vallen in de rede, zeuren om aandacht, zitten overal aan en lappen het aan hun laars wanneer hun iets verboden wordt. Franse kinderen hadden in zulke situaties allang een klap gehad, maar dat weten die kinderen ook: daarom gedragen ze zich netjes en daarom gebeurt dat haast nooit; in elk geval niet waar je bij bent. In Nederland vallen er ook wel degelijk klappen, maar de situatie moet eerst uit de hand

lopen. Als er dan geslagen wordt, gebeurt het vaak (veel) te hard en vooral: het levert dan wel veel gekrijs, maar geen verbetering op.

Nederlandse kinderen zijn zonder twijfel veel vrijer dan Franse, maar of ze daardoor ook gelukkiger zijn weet ik niet.

Rudy Kousbroek, **Nederland: een bewoond gordijn**. *CPNP 1989, blz. 58 (met enige kleine wijzigingen).*

* De titel is niet van Rudy Kousbroek.

16 Spreekoefening

Gebruik de juiste vorm van het adjectief.*

Voorbeeld:
+ *Dit land is erg mooi.*
– *Ja, wat een mooi land.*

+ *Deze koffie is echt heerlijk.*
– *Ja, wat een heerlijke koffie.*

+ *Deze bergen zijn zeer hoog.*
– *Ja, wat een hoge bergen.*

* Herhaling Help 1, les 7.

17 Schrijfoefening

Vul de juiste prepositie in.

Na de tweede wereldoorlog kreeg Nederland ... de Verenigde Staten financiële hulp ... de wederopbouw van de Nederlandse economie, de zogenaamde Marshall-hulp.

In verband ... deze Marshall-hulp brachten de Amerikanen Hoffman en Harriman een bezoek ... de toenmalige Nederlandse minister-president, Willem Drees. Dit bezoek vond plaats ... het weekend.

De ambtenaren van het Nederlandse ministerie van Buitenlandse Zaken waren ... mening dat het gesprek ... de Amerikanen gehouden moest worden in een van de mooie zalen van het Binnenhof in Den Haag. Minister-president Drees vond dat niet nodig. Hij ontving de gasten ... hem thuis in zijn eenvoudige woning aan de Beeklaan in Den Haag.

Toen de Amerikaanse gasten het gesprek ... Drees beëindigd hadden, zeiden ze ... elkaar: Amerika kan rustig geld geven ... een land waarvan de minister-president ... deze manier leeft.

18 Luisteroefening

Luister eerst naar het gesprek over 'De fietsende Nederlander'.

U hoort nu telkens twee zinnen, zin a en zin b. Soms is de inhoud van deze zinnen hetzelfde, soms is de inhoud verschillend. Geef aan wanneer de inhoud verschillend is en wanneer de inhoud hetzelfde is.

1	a	b	hetzelfde	verschillend
2	a	b	hetzelfde	verschillend
3	a	b	hetzelfde	verschillend
4	a	b	hetzelfde	verschillend
5	a	b	hetzelfde	verschillend
6	a	b	hetzelfde	verschillend
7	a	b	hetzelfde	verschillend
8	a	b	hetzelfde	verschillend
9	a	b	hetzelfde	verschillend

19 Spreekoefening

> Heb je de Nederlanders wel eens zien fietsen? (tekst bij luisteroefening 18)

Twee infinitieven in het perfectum. (zie ook les vijf)

Voorbeeld:

+ *Kan Ans goed dansen?*
− *Dat weet ik niet. Ik heb haar nog nooit zien dansen.*

+ *Kan Willem goed zingen?*
− *Dat weet ik niet. Ik heb hem nog nooit horen zingen.*

Gebruik in uw antwoord steeds 'zien' of 'horen'.

20 Leesoefening

Hieronder volgt een aantal beweringen over de Nederlander. In 1 wordt bij voorbeeld gezegd dat de Nederlander graag lid is van een vereniging. In d wordt het tegenovergestelde gezegd: de Nederlander amuseert zich het liefst alleen.

Zoek nu zinnen bij elkaar die elkaars tegenovergestelde zijn. Een voorbeeld is dus 1 + d.

1 De Nederlander is graag lid van een vereniging, bij voorbeeld van een zangvereniging, een voetbalvereniging, een toneelvereniging enzovoorts.
2 De Nederlander is erg trots op zijn eigen land en laat dat duidelijk blijken.
3 De Nederlander laat graag zien hoe zijn huis er van binnen uitziet. Daarom zijn 's avonds vaak de gordijnen open.
4 De Nederlander is zuinig.
5 Als de Nederlander kwaad of bedroefd is, laat hij dat duidelijk merken.
6 'Meneer de voorzitter' zijn woorden die de Nederlander bij vergaderingen heel vaak gebruikt. Bij vergaderingen gedraagt de Nederlander zich in het algemeen tamelijk beleefd.
7 De Nederlander accepteert gemakkelijk andere meningen, andere godsdiensten, andere gewoontes.
8 De Nederlander praat, ook met mensen die hij niet goed kent, gemakkelijk over zijn persoonlijke problemen, zijn ziektes, zijn huwelijksleven.
9 De Nederlander blijft in de vakantie het liefst thuis. Van reizen houdt hij niet.

a De Nederlander verbergt zijn emoties zoveel mogelijk.
b Als de Nederlander vergadert, is hij meestal niet erg gedisciplineerd.
c De Nederlander is niet erg tolerant.
d De Nederlander amuseert zich het liefst alleen of met een paar goede vrienden.
e De Nederlander praat niet graag over zijn privéleven.
f De Nederlander heeft geen sterk nationalistisch gevoel.
g De Nederlander vindt het niet prettig wanneer andere mensen bij hem naar binnen kijken.
h De Nederlander is royaal en geeft gemakkelijk zijn geld uit.
i Overal in het buitenland kom je Nederlanders tegen, want de Nederlander bezoekt graag andere landen.

Wat vindt u zelf van deze beweringen? Kies uit de zinnen 1 tot en met 9 en a tot

met met i in totaal 9 beweringen die, naar uw mening, karakteristiek zijn voor
de Nederlander.

21 Mondeling of schriftelijk

\+ *De Nederlanders wonen in Nederland.*
\+ *En de Fransen?*
\– *De Fransen wonen in Frankrijk.*

Antwoord op dezelfde manier.

1 De Nederlanders wonen in Nederland.
2 En de Fransen?
3 En de Belgen?
4 En de Chinezen?
5 En de Turken?
6 En de Indonesiërs?
7 En de Marokkanen?
8 En de Egyptenaren?
9 En de Brazilianen?
10 En de Italianen?
11 En de Grieken?
12 En de Spanjaarden?
13 En de Portugezen?
14 En de Nigerianen?
15 En de Finnen?

22 Vocabulaire-oefening

a stijf onbeschoft tolerant onbetrouwbaar
b waardeloos spraakzaam emotioneel trots
c teleurgesteld stout ijverig hartelijk uitgeput
d beleefd tenger spaarzaam egoïstisch

Zet in de zinnen 1 tot en met 4 een adjectief uit groep a,
in de zinnen 5 tot en met 8 een adjectief uit groep b,
in de zinnen 9 tot en met 13 een adjectief uit groep c,
en in de zinnen 14 tot en met 17 een adjectief uit groep d.
Zet de adjectieven in de juiste vorm.

1 Die man is grof, hij heeft absoluut geen goede manieren, hij
   is   . . .
2 Ik doe met hem geen zaken. Je weet nooit of hij zal doen
   wat hij belooft. Hij is   . . .
3 Zijn bewegingen zijn niet soepel. Ze zijn   . . .
4 Ik accepteer gemakkelijk dat iemand een andere godsdienst
   heeft dan ik, of dat iemand op een andere manier leeft dan
   ik. Ik ben   . . .

5 Aan die man heb je niks. Het is een . . . man   . . .
6 Het is begrijpelijk dat bij de dood van iemand van wie je
   veel houdt, je je gevoelens toont. Het is begrijpelijk dat je
   dan . . . bent.   . . .
7 Jeroen zegt niet erg veel, hij is niet erg   . . .
8 Zij vertelde aan iedereen dat zij geslaagd was voor haar rij-
   examen. Zij was op dat feit erg   . . .

9 Zij zou met vakantie naar Oostenrijk gaan, maar omdat zij
   ziek werd, kon zij niet vertrekken. Zij was daarover zeer   . . .
10 Ik vind tante Nelie heel sympathiek. Zij is altijd vriendelijk
   en   . . .
11 Aan het einde van een marathon zijn de meeste lopers
   doodmoe. Ze zijn vaak   . . .
12 Christina doet het goed aan de universiteit. Zij is altijd met
   haar studie bezig. Zij is   . . .
13 Moeder had gezegd dat Flipje geen koekje meer mocht
   pakken, maar Flipje had het toch gedaan. 'Jij bent . . . ,' zei   . . .
   moeder tegen Flipje.

14 Het is niet . . . om 'je' en 'jij' te zeggen tegen iemand die   . . .
   ouder is en die je helemaal niet kent.
15 Hij denkt alleen aan zichzelf. Hij is erg   . . .
16 Hij gebruikt nooit veel woorden als hij iets zegt, hij is . . .   . . .
   met woorden
17 Zij is slank en fijngebouwd. Zij is   . . .

Als u in de rechterkolom de juiste woorden hebt ingevuld, vormen de eerste
letters van deze 17 woorden een Nederlands gezegde.

23 Schrijfoefening

a   Geef een beschrijving van uzelf. Gebruik in deze beschrijving 4 van de 17 adjectieven uit de vorige oefening.
b   Geef een beschrijving van iemand die u kent. Gebruik in deze beschrijving 4 van de 17 adjectieven uit de vorige oefening.

24 Schrijfoefening

Vul in: hij, zij, ze of het.*

Wim is in 1950 geboren. ... herinnert zich nog net de tijd dat er geen televisie bestond. Die tijd is voorbij. Iedereen heeft nu een televisietoestel. Wim ook. ... staat in de hoek van de kamer.
'We kregen al in 1954 t.v. We waren er vroeg bij. De buren hadden er een en omdat ... er een hadden, moesten wij er ook een hebben.'
Heeft de t.v. het leven veranderd?
'Ja, ... heeft het buurtleven wel veranderd, maar dat ging heel langzaam. We hebben nog jaren 's avonds voor het huis gezeten en op straat gevoetbald.'
Op straat voetballen. Vroeger kon dat, nu niet meer. De straat is nu voor rijdende en stilstaande auto's. ... is niet meer voor de spelende jeugd. Wat ook niet meer kan is zwemmen in de rivier achter hun huis. Het water is vuil, zegt Wim, ... is vuil en dood.
Het milieu is nu een probleem. ... is een probleem voor iedereen. Maar toch, zegt Wim, denkt niemand erover zijn auto te laten staan.
Wim zelf heeft zijn auto al tien jaar geleden aan de kant gedaan, nadat ... twee keer was aangehouden toen hij een slokje teveel op had. ... heeft geen rijbewijs meer. Toen ... verlengd moest worden, heeft hij dat niet gedaan. ... vond dat onverantwoord.

Vrij naar een artikel in NRC Handelsblad

* Herhaling Help 1, les 1 en les 5.

25 Mondeling of schriftelijk

Voorbeeld:
+   *Komt Annie uit Nederland?*

− *Ja, zij is Nederlandse.*

+ *Komt zijn vrouw uit Indonesië?*
− *Ja, zij is Indonesische.*

1 Komt Annie uit Nederland?
2 Komt zijn vrouw uit Indonesië?
3 Heeft Helga de Duitse nationaliteit?
4 Komt jullie lerares Frans uit Frankrijk?
5 Is jouw tante van Hongaarse afkomst?
6 Komt zijn moeder uit Turkije?
7 Heeft jouw zusje de Marokkaanse nationaliteit?
8 En heeft het zusje van Ismaël de Egyptische nationaliteit?
9 Komt Ana González uit Spanje?
10 Heeft zijn moeder de Zwitserse nationaliteit?

26 Mondeling of schriftelijk

Hieronder volgt een aantal zinnen die iets met het weer te maken hebben.*
Als iemand zegt: *Kijk eens, iedereen loopt met een paraplu*, betekent dat dat het regent.
Geeft de weersomschrijving die past bij de volgende zinnen.

Voorbeeld:
+ *Kijk eens, iedereen loopt met een paraplu.*
− *Het regent.*

1 Voel je wel, er is een beetje wind.
2 We gaan maar niet met de auto weg, want je ziet bijna niets.
3 Ik zie het weerlichten en ik hoor het rommelen.
4 Ze zeggen dat we windkracht 11 hebben.
5 Zie je, er staat water op het ijs.
6 Dit is geen regen meer en wat maakt het een lawaai tegen de ruiten.
7 O kijk, er ligt ijs op de sloot.
8 Wat leuk! Alles wordt helemaal wit.
9 Wat schijnt de zon lekker, en de lucht is helemaal blauw.

* Herhaling van les 1, oefening 16.

27 Schrijfoefening

Mijn plannen voor het nieuwe jaar

Ieder jaar op 1 januari zeg ik tegen mezelf: dit jaar ga ik een aantal zaken anders en beter doen dan het vorig jaar. Ieder jaar heb ik op 1 januari veel goede voornemens.

Ook dit jaar heb ik weer een aantal goede voornemens. Kijk maar.

1   Ik stop met roken.
2   Ik ga sparen voor een bromfiets.
3   Ik ga iedere avond op tijd naar bed.

Voeg aan dit lijstje nog een aantal voornemens toe. Gebruik daarbij de gegeven werkwoorden.

4	(opstaan)	9	(opknappen)
5	(opbellen)	10	(betalen)
6	(afwassen)	11	(terugbrengen)
7	(bestellen)	12	(uitgaan)
8	(zich inschrijven voor)	13	(zich inspannen)

28 Tekst

Het sinterklaasfeest

Het sinterklaasfees is een typisch Nederlands feest. Sint Nicolaas, zoals sinterklaas officieel heet, is een bisschop. Hij woont in Spanje. Hij komt ieder jaar half november samen met zijn knecht, zwarte piet, naar Nederland en blijft tot zes december, de dag van zijn verjaardag. In die tijd zie je overal in winkels en op straat sinterklazen en zwarte pieten. Sinterklaas rijdt soms op een wit paard.

Vijf december, de dag vóór zijn verjaardag, is de dag van het sinterklaasfeest. Iedere basisschool krijgt sinterklaas op bezoek. Ook komt hij soms bij families thuis, vooral bij families met veel kinderen.

Hij geeft aan ieder kind een cadeautje en wat snoep.

Oudere kinderen en volwassenen vieren ook sinterklaas. Dit doen ze op de avond van vijf december. Ze houden elkaar voor de gek door grappige voorwerpen, de zogenaamde surprises te maken. Zo maken zij bij voorbeeld een pudding van zeep voor iemand van wie zij weten dat hij niet van pudding houdt. In de pudding zit dan een cadeautje. Natuurlijk geven ze elkaar ook cadeautjes zonder surprises. Bij ieder cadeautje en bij iedere surprise maken ze grappige gedichten. Het geven van de cadeaus en de surprises gaat anoniem, want alles komt zogenaamd van sinterklaas.

Vijf december is een normale werkdag. Soms sluiten kantoren en fabrieken wat eerder. De meeste bioscopen, theaters, cafés en restaurants zijn die avond dicht.

De Nederlanders kennen geen speciale maaltijd op sinterklaasdag. Wel eten zij allerlei sinterklaassnoep zoals chocoladeletters, banket, borstplaat, taaitaai, speculaas, pepernoten en marsepein. Marsepein vind je in allerlei vormen zoals in de vorm van appels, peren, worst, enzovoort.

29 Vocabulaire-oefening

Bestudeer tekst 28 'Het sinterklaasfeest'.
Vul het ontbrekende woord in. In ieder hokje één letter.

1   De functie van Sint Nicolaas is

    1   2   3   4   5   6   7   8
    ☐ ☐ ☐ ☐ ☐ ☐ ☐ ☐

2   Sint Nicolaas woont in

    9 10 11 12 13 14
    ☐ ☐ ☐ ☐ ☐ ☐

3   De knecht van Sint Nicolaas heet

   15 16 17 18 19 20   21 22 23 24
   ☐ ☐ ☐ ☐ ☐ ☐   ☐ ☐ ☐ ☐

4   Sint Nicolaas is jarig op

   25 26 27   28 29 30 31 32 33 34 35
   ☐ ☐ ☐   ☐ ☐ ☐ ☐ ☐ ☐ ☐ ☐

5   Volwassenen vieren sinterklaas op

   36 37 38   39 40 41 42 43 44 45 46
   ☐ ☐ ☐   ☐ ☐ ☐ ☐ ☐ ☐ ☐ ☐

Voor het vervolg, zie oefening 34.

30 Mondeling of schriftelijk

Vul 'niet' of 'geen' in.*

B = buitenlander
N = Nederlander

B Is het sinterklaasfeest hetzelfde als het kerstfeest?
N Nee, het is helemaal ... hetzelfde. Kerstmis is een christelijk feest. Dat
   vieren wij ook en dat vieren ze in veel andere landen.
   Het sinterklaasfeest is een typisch Nederlands feest.
B Maar het sinterklaasfeest is toch ook op 25 december?
N Nee, het is ... op 25 december maar op 5 december.
B Wie is sinterklaas?
N Sinterklaas is een bisschop. Hij woont ... in Nederland, maar in Spanje.
   Ieder jaar, een paar weken voor zijn verjaardag, komt hij naar Nederland.
B Is sinterklaas dan op 5 december jarig?
N Nee, hij is eigenlijk ... op 5 december jarig, maar op 6 december.
   Maar 5 december is het feest, want hij gaat op 6 december zogenaamd weer
   naar Spanje terug.
B Is het sinterklaasfeest alleen een kinderfeest?
N Nee, het is ... alleen een kinderfeest: oudere kinderen en volwassenen
   vieren het ook.
B Wat doen jullie dan? Hebben jullie een speciale maaltijd?
N Nee, we hebben ... speciale maaltijd, want voor eten koken hebben we op
   die dag ... tijd.
B Hoe komt het dat jullie ... tijd hebben?
N We moeten veel surprises en gedichten maken. Op die dag zijn de meeste
   mensen daarmee nog lang ... klaar.
B Maar jullie hebben die dag toch zeker vrij?
N Nee, we hebben die dag ... vrij. Soms sluiten de kantoren en fabrieken een
   uur eerder, en ook zijn de meeste bioscopen, theaters, cafés en restaurants
   die avond ... open.
B Jullie maken surprises en gedichten, maar geven jullie elkaar ook echte
   cadeaus?
N We geven elkaar bij de surprises en de gedichten ook cadeautjes, maar we
   weten vaak ... van wie we de cadeautjes krijgen, want ze komen allemaal
   van sinterklaas.

* Herhaling Help 1, les 3.

31 Luisteroefening ▭

Oud en nieuw

Luister naar de cassette.
Maak daarna de onderstaande zinnen af. In ieder hokje één letter.

1   Nederland viert op 30 april de verjaardag van de
    47 48 49 50 51 52 53 54
    ▢   ▢   ▢   ▢   ▢   ▢   ▢   ▢

2   Op 31 december rijden er 's avonds treinen tot
    55 56 57 58   59 60 61
    ▢   ▢   ▢   ▢   ▢   ▢   ▢

3   Op oudejaarsavond eten veel Nederlanders
    62 63 64 65 66 67 68 69 70 71
    ▢   ▢   ▢   ▢   ▢   ▢   ▢   ▢   ▢   ▢

4   Wat wordt er op oudejaarsavond overal afgestoken?
    72 73 74 75 76 77 78 79
    ▢   ▢   ▢   ▢   ▢   ▢   ▢   ▢

5   In Nederland wenst men elkaar een ... Nieuwjaar.
    80 81 82 83 84 85 86 87
    ▢   ▢   ▢   ▢   ▢   ▢   ▢   ▢

Voor het vervolg van deze oefening, zie oefening 34.

32 Tekst

Klein Nederlands verjaardagslexicon

Een woord met een * ervoor betekent dat het woord elders in het lexicon wordt behandeld

Cadeautje, het: zie *verjaardagscadeautje

Feliciteren: iemand gelukwensen (omdat hij of zij *jarig is). Dit kan door middel van een brief, een kaart (de verjaardagskaart) of mondeling. Gebruikelijke felicitatieformules zijn: gefeliciteerd – gefeliciteerd met je/uw *verjaardag – hartelijk gefeliciteerd (met je/uw verjaardag) – van harte gefeliciteerd (met je/uw verjaardag) – proficiat – proficiat met je /uw verjaardag.

Als men iemand feliciteert, geeft men hem of haar een hand. Als men de *jarige goed kent, geeft men hem of haar een zoen. (Een zoen betekent anno 1991 drie zoenen, maar dat kan veranderen. Dus goed opletten.) Nederlanders feliciteren niet alleen de jarige maar ook familie en vrienden van de jarige. 'Gefeliciteerd met de verjaardag van je zoontje'; Hartelijk gefeliciteerd met de verjaardag van Wilma' 'Proficiat met de verjaardag van uw broer', enz.

Gebakje, het: een lekkernij gemaakt van deeg met een zoete vulling. 'Ik heb voor mijn verjaardag 20 gebakjes besteld'. Een appelgebakje, een slagroomgebakje, enz.

Glaasje, het: een glaasje is een klein glas, maar als iemand zegt: 'Ik ben morgen jarig, kom je een glaasje drinken', nodigt hij of zij je uit voor een alcoholische drank, bij voorbeeld een glaasje wijn, sherry, port, jenever. 'Kom je een glaasje drinken' kan ook gewoon betekenen: kom je mijn verjaardag vieren.

Jarig: 'ik ben morgen jarig' = morgen *vier ik mijn geboortedag.
Vergelijk:
Wanneer ben je geboren? 14 augustus 1981.
Wanneer ben je jarig? 14 augustus.
Ook attributief: Hij gaf zijn jarige zoon een cadeau.

Jarige, de: de jongen of het meisje, de man of de vrouw die *jarig is, 'Ik ga even een bos bloemen kopen voor de jarige'.

Taartje, het: een taartje kan een kleine taart zijn, maar vaak is een taartje hetzelfde als een *gebakje. 'Wil je nog een taartje?' – 'Nee, dat is niet goed voor m'n lijn.' (Van taartjes, vooral van taartjes met slagroom word je namelijk dik.)

Trakteren: iemand iets lekkers aanbieden. 'Als ik jarig ben, trakteer ik.' 'Als ik jarig ben, trakteer ik op koffie met gebak.' (Zie ook *vieren)

Uitpakken: Wie een cadeau krijgt, pakt het onmiddellijk uit. Als je het cadeau niet uitpakt, vindt men dat onbeleefd. Bloemen worden meteen in een vaas gezet en krijgen een mooie plaats in de kamer.

Verjaardag, de: de dag waarop iemand zijn geboortedag herdenkt; de dag waarop iemand *jarig is. Er zijn mensen-met-een-baan die op hun verjaardag een dag vrij nemen.

Verjaardagscadeautje, het: het cadeautje dat de jarige krijgt of dat men aan de jarige geeft. Kan variëren van een mooie zakdoek tot een racefiets. Neutrale cadeaus zijn: een bloemetje (zo heet dat; altijd goed, een bloemetje, ook als de jarige een man is), een doosje bonbons of chocolaatjes, een fles drank, een boekenbon, een platenbon of cadeaubon.

Als het winkelmeisje vraagt: 'Is het voor een cadeautje?', zegt u ja. Ze haalt dan het prijsje eraf en pakt het cadeautje feestelijk in.

Degene die het cadeau geeft kan zeggen: 'Alsjeblieft, een cadeautje/iets/een kleinigheidje voor je/uw verjaardag'.

Degene die het cadeau krijgt kan zeggen: 'Wat fantastisch/prachtig/mooi/leuk, dat had je/u niet moeten doen. Hartelijk dank'.

'Hartelijk dank' kan versterkt worden door een handdruk of een zoen.

Zie ook *feliciteren.

Verjaardagskalender, de: kalender waarop staat wanneer iemand jarig is. Om er zeker van te zijn dat de verjaardag niet vergeten wordt, hangen veel Nederlanders de verjaardagskalender bij voorkeur op de wc.

Sommige mensen vinden het echt vervelend om een verjaardag te vergeten. 'Sorry, ik heb je verjaardag vergeten/sorry, je verjaardag is me helemaal door het hoofd geschoten'.

Verjaardagslied, het: hèt nationale verjaardagslied is: 'Lang zal ie leven'. Let goed op of de jarige een man of een vrouw is. Als het lied voor meer dan een persoon gezongen moet worden ook goed opletten.

één man	*één vrouw*	*meer personen*
Lang zal ie leven	Lang zal ze leven	Lang zullen ze leven
Lang zal ie leven	Lang zal ze leven	Lang zullen ze leven
Lang zal ie leven	Lang zal ze leven	Lang zullen ze leven
In de gloria	In de gloria	In de gloria
In de gloria	In de gloria	In de gloria
In de gloria	In de gloria	In de gloria
Hiep hiep hiep	Hiep hiep hiep	Hiep hiep hiep
Hoera	Hoera	Hoera

Bij 'hoera' steekt men de hand omhoog. Het lied wordt 'uit volle borst', d.w.z. luid gezongen, bij voorkeur staande. Ieder moment van de dag is geschikt om in een 'Lang zal ie leven' uit te barsten.

Verjaardagstaart, de: de taart die men eet als er iemand jarig is. Een taart is zoet en meestal rond. Soms, vooral bij kinderen, staan er op de taart kaarsjes. Als een kind vijf wordt, staan er vijf kaarsjes op, als iemand 21 wordt 21. Voordat men de taart in stukken of punten snijdt, blaast de jarige de kaarsjes natuurlijk eerst uit. De bedoeling is dat alle kaarsjes in één keer worden uitgeblazen.

Verlanglijstje, het: lijstje waarop staat wat men graag voor zijn verjaardag wil hebben. Sommige mensen maken een lange lijst, sommige een korte en veel mensen maken helemaal geen lijstje. De lijst van kinderen is meestal langer dan de lijst van volwassenen ('Ik heb alles al').

Versieren: iets mooi, iets feestelijk maken. Vooral bij jarige kinderen wordt de kamer versierd, bij voorbeeld met slingers. Een versierde stoel is ook heel gebruikelijk. Dat geldt ook voor een bloemetje bij het bord, op het bureau enz. van de jarige.

Vieren: een verjaardag vieren: iets speciaals doen omdat men jarig is. Meestal viert men zijn verjaardag 'op de dag zelf', soms op een andere dag. 'Ik ben op woensdag jarig, maar ik vier mijn verjaardag op zaterdag.' Het verjaardagsfeest is dus op zaterdag.

Kinderen vieren de verjaardag thuis en op school. Op school *trakteren zij de klas: de klasgenoten krijgen snoep of ('snoep verstandig, eet een appel') een appel of een mandarijntje. Het kinderfeestje thuis noemt men een partijtje of een verjaarspartijtje. Bij de verjaardag thuis nodigen kinderen een aantal vriendjes en vriendinnetjes uit. 'Kom je op mijn verjaarspartijtje?' Ze drinken limonade, coca cola en dergelijke. Ze doen spelletjes. Soms gaan ze samen naar een film, naar de dierentuin, ergens kegelen...

Volwassenen vieren hun verjaardag soms op hun werk. Ze *trakteren hun collega's, bij voorbeeld op koffie met gebak. De viering thuis kan verschillende vormen hebben. Heel gebruikelijk is om familie en vrienden uit te nodigen voor de avond, zo om een uur of half negen. De gasten krijgen eerst koffie met gebak en later op de avond een *glaasje met hartige hapjes. Ook zonder officiële uitnodiging kan men iemand met zijn verjaardag gaan feliciteren.

33 Vocabulaire-oefening

Bestudeer 'Klein Nederlands verjaardagslexicon'.
Vul het ontbrekende woord in. In ieder hokje één letter.

1 Omdat ik jarig ben wil ik iedereen op koffie met gebak

88	89	90	91	92	93	94	95	96
☐	☐	☐	☐	☐	☐	☐	☐	☐

2   Morgen is mama jarig. We gaan de kamer met slingers

    97   98   99   100 101 102 103 104 105

    ☐   ☐   ☐   ☐   ☐   ☐   ☐   ☐   ☐

3   Degene die jarig is is de

    106 107 108 109 110 111

    ☐   ☐   ☐   ☐   ☐   ☐

4   Men kan iemand met zijn verjaardag gelukwensen of

    112 113 114 115 116 117 118 119 120 121 122

    ☐   ☐   ☐   ☐   ☐   ☐   ☐   ☐   ☐   ☐   ☐

5   Een ander woord voor een gebakje is een

    123 124 125 126 127 128 129

    ☐   ☐   ☐   ☐   ☐   ☐   ☐

Voor het vervolg, zie oefening 34.

34 Vocabulaire-oefening

Hoort bij oefening 29, 31 en 33.

U hebt bij oefening 29, 31 en 33 woorden ingevuld.
Vul van die woorden een aantal letters in bij de cijfers die hieronder staan.
Gebruik hetzelfde cijfer. Dus bij 1 zet u de letter die u in oefening 29 (Het sinterklaasfeest) bij 1 hebt ingevuld.
Bij 129 vult u de letter in die u in oefening 33 (Klein Nederlands verjaardagslexicon) bij 129 hebt ingevuld, enz.
Als u de letters goed hebt ingevuld, vindt u een bewering over Sinterklaas, Zwarte Piet en de koningin.

1   Sinterklaas

    1   129 100 19   11   90   127 / 12 101   14   58

    ☐   ☐   ☐   ☐   ☐   ☐   ☐   ☐   ☐   ☐

2   Zwarte Piet

    2   9 / 122 115 111 24 / 25 16   17   120 88

    ☐   ☐   ☐   ☐   ☐   ☐   ☐   ☐   ☐   ☐

3   De koningin

86	4 /	96	109	81	92 /	7	10 /	39	121	126	127	53	80
☐	☐	☐	☐	☐	☐	☐	☐	☐	☐	☐	☐	☐	☐

55	8	108	50	82 /	13	124	94	117	52
☐	☐	☐	☐	☐	☐	☐	☐	☐	☐

35 Tekst

Opvallend

Toen ik voor de eerste keer in Nederland kwam, vielen mij de volgende dingen op:
– de Nederlanders gebruiken maar één warme maaltijd per dag
– fietsen, overal fietsen
– ook 's avonds blijven de gordijnen open
– shag
– op tafel liggen vaak dikke tafelkleden
– als iemand de telefoon opneemt, zegt hij of zij zijn of haar naam
– koffie, veel koffie
– kroketten
– als je ergens op bezoek gaat, moet je eerst een afspraak maken
– drop
– overal mooie tuintjes
– hagelslag
– pindakaas
– in Nederland spreekt men Nederlands

Vielen de bovenstaande dingen u ook op toen u voor de eerste keer in Nederland kwam? Of waren er andere dingen waarvan u dacht: hé, dat hebben ze in mijn land niet. Noem ze of schrijf ze op.

Les zeven – Geschiedenis

1 Tekst

Een stukje Nederlandse geschiedenis – deel 1

In de Middeleeuwen bestond het gebied dat nu Nederland heet uit een paar hertogdommen (Gelre, Brabant), een paar graafschappen (Holland, Zeeland) en het bisdom Utrecht. Karel V (1500-1558) maakte er samen met het tegenwoordige België en Luxemburg één geheel van: de Lage Landen. Deze Lage Landen hadden geen eigen bestuur, maar waren een deel van het grote Bourgondisch-Habsburgse Rijk.
In 1555 gaf Karel V aan zijn zoon Filips II het bestuur over een gedeelte van dit Rijk, namelijk over de Lage Landen en Spanje.

Het noorden van de Lage Landen kwam al spoedig in opstand tegen het gezag van Filips II. Deze opstand, die zowel een politiek als een godsdienstig karakter had, stond in de beginjaren onder leiding van prins Willem van Oranje. Het heeft tachtig jaar geduurd (de zogenaamde 'tachtigjarige oorlog') voordat de opstand definitief succes had. In 1648, bij de vrede van Munster, werd het noorden (= Nederland) een zelfstandige republiek. Het zuiden (= België) bleef een deel van het Spaanse Rijk.

In de 17e eeuw kende Nederland een periode van grote bloei, de 'Gouden Eeuw'. Deze bloei was hoofdzakelijk te danken aan de internationale handel. De Verenigde Oostindische Compagnie en de Westindische Compagnie – bekende handelsondernemingen – maakten Nederland rijk. Daarvan getuigen nu nog de voorname huizen langs de Amsterdamse grachten.

Tot aan de Franse revolutie bleef Nederland zelfstandig. Daarna, van 1795 tot 1813, heersten de Fransen over het land. Aan deze overheersing kwam in 1813 een einde. In dat jaar werd Nederland een koninkrijk.

2 Leesoefening

Tekst 1 bestaat uit vier alinea's. Boven iedere alinea kan men een 'kopje' zetten. Zo'n kopje geeft een samenvatting van de inhoud van een alinea.

Hieronder volgen vier kopjes. Geef aan bij welke alinea ieder kopje hoort.

Nederland onder Frans bestuur
De Lage Landen en Filips II
De Gouden Eeuw
De vorming van de Lage Landen

3   Mondeling of schriftelijk

1   Welke gebieden behoorden in de tijd van Karel V tot de Lage Landen?
2   Hoe komt het dat de Lage Landen in twee gebieden uiteen vielen?
3   Hoe verklaart u de bloei van Nederland in de Gouden Eeuw?
4   Vul in:
    Van 1648 tot 1795 was Nederland een ...
    Van 1795 tot 1813 waren de ... de baas in Nederland.
    In 1813 werd Nederland een ... .

De volgende vragen hebben betrekking op uw eigen land.
5   Wat is de staatsvorm van uw eigen land, een republiek of iets anders?
6   Heeft uw land deze staatsvorm altijd gehad? Zo niet, welke staatsvorm heeft het dan wel gehad?
7   Nederland is een zelfstandig land geworden na de strijd tegen de Spaanse overheersing. Op welke manier heeft uw land zijn zelfstandigheid gekregen?

4   Tekst 📼

Een stukje Nederlandse geschiedenis – deel 2

In 1813 werd Nederland een koninkrijk met als eerste koning Willem I, prins van Oranje-Nassau. Aan dit koninkrijk werden in 1815 België en Luxemburg toegevoegd.
De hereniging met België zou niet van lange duur zijn. Vijftien jaar later ontstond er in dit katholieke land een anti-noordelijke, anti-protestantse en anti-koninklijke beweging, die uiteindelijk tot resultaat had dat België onafhankelijk werd. Officieel bereikte België deze onafhankelijkheid in 1839.
Na de afscheiding van België kreeg Nederland zijn huidige vorm.

Tijdens de eerste wereldoorlog (1914-1918) slaagde Nederland erin zijn neutraliteit te bewaren en buiten de oorlog te blijven.

In de tweede wereldoorlog lukte dat niet: in mei 1940 vielen de Duitse troepen Nederland binnen en bezetten het land.

Voor het zuiden kwam de bevrijding in de herfst van 1944, voor het noorden in het voorjaar van 1945. Op 5 mei 1945 was heel Nederland bevrijd.

Tot aan de tweede wereldoorlog was Nederland een belangrijke koloniale mogendheid. Tot de Nederlandse koloniën behoorden Nederlands-Indië (nu Indonesië), Suriname en de Nederlandse Antillen.

Aan de politieke band met Nederlands-Indië kwam een einde op 27 december 1949, toen Indonesië zijn souvereiniteit kreeg.

De onafhankelijkheid van Suriname werd in 1975 een feit.

De Nederlandse Antillen maken nog steeds deel uit van het koninkrijk der Nederlanden.

5   Mondeling of schriftelijk

1   Welke gebieden behoorden in 1815 tot het koninkrijk der Nederlanden?
2   Wat gebeurde er in 1830?
3   Om welke redenen wilde België zich van Nederland afscheiden?
4   Is Nederland zowel in de eerste als in de tweede wereldoorlog neutraal geweest?
5   Nederland was in de tweede wereldoorlog bezet. Wanneer was heel Nederland vrij?
6   Sinds wanneer zijn Nederlands-Indië (Indonesië) en Suriname, volgens de tekst, geen Nederlandse koloniën meer?

De volgende vragen hebben betrekking op uw eigen land.

7   In 1830 heeft België zich losgemaakt van Nederland. Is er in uw land ook zoiets gebeurd?
8   Wat was de positie van uw land tijdens de eerste en tijdens de tweede wereldoorlog?
9   Had of heeft uw land koloniën?
    Was of is uw land een kolonie van een ander land?

6 Schrijfoefening

Aan deze situatie kwam een einde toen …
Aan deze situatie kwam een einde toen het noorden in opstand kwam tegen
Filips II.

Maak de volgende zinnen op dezelfde manier af.
Raadpleeg daarbij deel 1 en deel 2 van 'Een stukje Nederlandse geschiedenis'
(tekst 1 en tekst 4).

1   In de Middeleeuwen bestond het gebied uit een paar hertogdommen,
    graafschappen en het bisdom Utrecht. Aan deze situatie kwam een einde
    toen …
2   Nederland was tachtig jaar in oorlog met Spanje. Aan deze situatie kwam
    een einde toen …
3   Tot aan de Franse revolutie was Nederland een zelfstandige staat. Aan deze
    situatie kwam een einde toen …
4   Van 1795 tot 1813 heersten de Fransen over Nederland. Aan deze situatie
    kwam een einde toen …

7 Schrijfoefening

Beschrijf in het kort de geschiedenis van uw land zoals dat hierboven voor
Nederland is gedaan.

8 Luisteroefening 🖭

Op de cassette hoort u een gesprek tussen een douanebeambte en mevrouw
Ploeg.
Hieronder volgt een aantal beweringen over dit gesprek. Geef met een kruisje
aan welke bewering waar is.

1   a De paspoortcontrole vindt plaats in de trein.
    b De paspoortcontrole vindt plaats in het vliegtuig.
2   a De dochter van mevrouw Ploeg heeft een zoon gekregen.
    b De dochter van mevrouw Ploeg heeft een dochter gekregen.
3   a De dochter van mevrouw Ploeg woont in Brussel.
    b De dochter van mevrouw Ploeg woont in Brazilië.

4   a   De douanebeambte zegt dat mevrouw Ploeg in Brussel het vliegtuig moet nemen.

    b   De douanebeambte denkt dat mevrouw Ploeg in Brussel wel het vliegtuig zal nemen.

5   a   Mevrouw Ploeg weet dat ze voor Brazilië een visum nodig heeft.

    b   Mevrouw Ploeg weet niet dat ze voor Brazilië een visum nodig heeft.

6   a   Mevrouw Ploeg is er bijna zeker van dat ze de stukjes toiletzeep moet aangeven.

    b   Mevrouw Ploeg denkt dat ze de stukjes toiletzeep niet hoeft aan te geven.

7   a   De douanebeambte vraagt wat mevrouw Ploeg in haar tas heeft.

    b   De douanebeambte vraagt of mevrouw Ploeg iets heeft aan te geven.

8   a   De douanebeambte zegt dat er met sigaren veel wordt gesmokkeld.

    b   Mevrouw Ploeg zegt dat er met sigaren veel wordt gesmokkeld.

9   Vocabulaire-oefening

De controle van het paspoort = de paspoortcontrole.
Rechten die je moet betalen om iets in te voeren = invoerrechten.

Vul op dezelfde manier telkens één woord in.

1   Wat is het doel van uw reis, wat is uw …?
2   In mijn compartiment zaten nog vier mensen die met mij meereisden. In mijn compartiment zaten nog vier … .
3   De controle door de douane was streng. De … was streng.
4   Deze trein stopt bij ieder station. Dit is een … .
5   Tussen Amsterdam en Athene landt dit vliegtuig één keer. Tussen Amsterdam en Athene maakt dit vliegtuig één … .
6   Om een sigaar zit een bandje. Dat heet een … .
7   Dit zijn geen bonen om te koken maar om te malen en om er koffie van te maken. Dit zijn … .
8   Het laatste station voor de grens noemen we een … .
9   Als uw zoon zich goed gewassen heeft, hebt u een schone zoon, maar als uw dochter trouwt hebt u een … .
10   Als u kinderen hebt die nog klein zijn, hebt u kleine kinderen, maar als uw zoon of dochter kinderen heeft zijn dat uw … .

10 Spreekoefening 🔲

> Waarom vraagt u naar welk land ik ga? (tekst bij luisteroefening 8)

Indirecte vraagzinnen. Herhaling van les 2.

+ *Naar welk land gaat u?*
− *Waarom vraagt u naar welk land ik ga?*

+ *Hebt u iets aan te geven?*
− *Waarom vraagt u of ik iets aan te geven heb?*

11 Luisteroefening 🔲

Luister op de cassette nogmaals naar het gesprek tussen mevrouw Ploeg en een douanebeambte.
Vul de ontbrekende woorden in. Telkens één woord.

De douane

Douanebeambte Douane. Paspoortcontrole. Mag ik uw ... even zien, mevrouw

Mevrouw Ploeg Paspoort? Dat is toch niet meer ... ?

Douanebeambte Uw paspoort alstublieft.

Mevrouw Ploeg Maar ik dacht

Douanebeambte Uw paspoort, mevrouw.

Mevrouw Ploeg O, nou, goed. Alstublieft.

Douanebeambte Waar gaat u ... ?

Mevrouw Ploeg Ik ga mijn dochter opzoeken. Ze heeft een baby ... , een jongen. Ze zijn er erg blij mee, ... ze eerlijk gezegd liever een meisje wilden. Maar

Douanebeambte Waar gaat u heen, mevrouw, naar welk land gaat de ... ?

Mevrouw Ploeg Ja, het is een lange ... , maar ik heb 't er graag voor over. Het is mijn eerste ... , dus u begrijpt dat ik er buitengewoon ... mee ben. U kijkt zo somber. Is er iets niet in orde met mijn paspoort, ... mijn signalement niet?

Douanebeambte Mevrouw, wilt u mij alstublieft ... waar u heen gaat?

Mevrouw Ploeg	Dat zei ik u … : naar mijn dochter.
Douanebeambte	Ik moet nog meer … controleren, dus zegt u mij nu … wat het doel van uw reis is.
Mevrouw Ploeg	O, u hebt … . Nou, ik ga naar Brazilië. Mijn dochter woont in Brazilië.
Douanebeambte	Brazilië? U zit in de trein van Amsterdam naar Brussel.
Mevrouw Ploeg	Ja dat weet ik. … dat niet?
Douanebeambte	U neemt in Brussel … het vliegtuig. Het zijn mijn … niet mevrouw, maar weet u dat u voor een reis naar Brazilië een visum nodig hebt?
Mevrouw Ploeg	Natuurlijk weet ik dat ik daar een visum voor nodig heb. Maar wacht eens even. Zei u … niet dat ik in de trein van Amsterdam naar Brussel zit? … vraagt u dan naar welk land ik ga? O, ik … het al, u wilt even … of ik weet dat Brussel in België ligt.
Douanebeambte	Hebt u nog … aan te geven?
Mevrouw Ploeg	Aan te geven? Moet dat nog … ? Ik … dat in Europa
Douanebeambte	Ik vroeg … : Hebt u nog iets aan te geven?
Mevrouw Ploeg	Eh, ja, ik heb een … aan te geven. Babykleertjes, zelf … .
Douanebeambte	Die … u niet aan te geven.
Mevrouw Ploeg	Nee? Verder twee … luxe toiletzeep voor mijn dochter. Die moet ik … aangeven?
Douanebeambte	Mevrouw, ik vraag niet wat er in uw tas zit, ik vraag of u … hebt waar u invoerrechten voor moet betalen.
Mevrouw Ploeg	Ja ja, dat begrijp ik. Ik dacht … dat ik voor babykleertjes invoerrechten moest betalen.
Douanebeambte	Nee, daar hoeft u geen invoerrechten voor te betalen.
Mevrouw Ploeg	Ik kijk nog even in mijn tas, want ik zal verdorie toch wel iets hebben waar ik invoerrechten voor moet betalen. Wat zullen we nou … . Ah, hier heb ik het al: een … sigaren voor mijn … . Ja, met sigaren wordt altijd gesmokkeld, nietwaar? Dat … ik me nog heel goed van … . Sigaren en koffiebonen. En nylon … . Of zijn het diamanten? Diamanten, geloof ik. Nou goed, koffiebonen heb ik niet bij me, maar die … sigaren, die geef ik dus aan.
Douanebeambte	Laat u maar.
Mevrouw Ploeg	Nee? Zou ik nou … niets hebben om aan te geven? Weet u wat? U fouilleert me, … dat we dan toch nog iets vinden, een paar … wijn of een … of misschien
Douanebeambte	Mevrouw, tot ziens.

Mevrouw Ploeg   Hè meneer, waarom doet u zo naar? U kunt me … wel even
fouilleren?

12 Tekst

De woorden van…

Prins Willem van Oranje (1533-1584) is voor het ontstaan van de Nederlandse
natie van groot belang geweest. Onder zijn leiding maakte Nederland zich los
van het machtige Spaanse rijk van Filips II.
Willem van Oranje stierf op 10 juli 1584 in het Prinsenhof te Delft. Hij stierf
door kogels. De man die verantwoordelijk was voor deze moord was Balthazar
Gerards.
'Mijn God, heb medelijden met dit arme volk': dit zouden de laatste woorden
geweest zijn die Willem van Oranje zou hebben gesproken toen hij op een van
de trappen in het Prinsenhof in elkaar zakte en stierf. Maar heeft hij deze
woorden ook werkelijk uitgesproken?
De enige getuige van de moord was Rombout Uilenburg. Hij was in het
Prinsenhof aanwezig op het moment van de moord. En wat schreef Uilenburg?
Hij schreef dat de prins op slag dood was. Willem de Zwijger zweeg voor altijd
toen drie kogels hem dodelijk troffen.
Men wil bekende historische personen graag goed-klinkende uitspraken in de
mond leggen. Toen in 1588 de Spaanse Armada naar Engeland voer en de
Britse kust naderde, waren de Engelse vlootofficieren met een bal aan 't spelen.
Kapitein Drake zou toen gezegd hebben: 'We hebben nog wel tijd om eerst het
spel te beëindigen, daarna kunnen we de Spanjaarden verslaan.'
Grote onzekerheid bestaat er ook over de woorden of over het woord van
Cambronne. Cambronne was een van de generaals van Napoleon in de slag bij
Waterloo (1815). Toen de vijand eiste dat Cambronne zich zou overgeven, zou
hij volgens sommigen gezegd hebben: 'Mijn leger sterft, het geeft zich niet
over.' Maar volgens anderen zou zijn reactie veel korter zijn geweest. Hij zou
alleen 'verdomme' hebben gezegd, maar dan in het Frans natuurlijk.

13 Mondeling of schriftelijk

1   Waarom is Willem van Oranje belangrijk voor Nederland?
2   Hoe stierf Willem van Oranje?
3   Wat zei hij toen hij stierf?

4   Waarom gaat het in deze tekst niet alleen over Willem van Oranje maar ook over kapitein Drake en generaal Cambronne?

14 Schrijfoefening

Herschrijf de volgende zinnen.

Voorbeeld:
+   *Willem van Oranje is voor de Nederlandse natie van groot belang geweest.*
+   *Voor de Nederlandse natie ...*
−   *Voor de Nederlandse natie is Willem van Oranje van groot belang geweest.*

1   Nederland maakte zich onder zijn leiding los van Spanje.
    Onder zijn leiding ...
2   Hij stierf in 1584.
    In 1584 ...
3   Balthazar Gerards was voor deze moord verantwoordelijk.
    Voor deze moord ...
4   Ik heb geen medelijden met het volk.
    Met het volk ...
5   Hij zakte op een van de trappen in het Prinsenhof in elkaar.
    Op een van de trappen in het Prinsenhof ...
6   Uilenburg was in het Prinsenhof aanwezig op het moment van de moord.
    Op het moment van de moord ...
7   De Spaanse Armada voer in 1588 naar Engeland.
    In 1588 ...
8   Cambronne zou volgens sommigen 'verdomme' hebben gezegd.
    Volgens sommigen ...

15 Schrijfoefening

Herschrijf de volgende zinnen.

Voorbeeld:
+   *Het gebied dat nu Nederland heet, bestond in de Middeleeuwen uit een paar hertogdommen.*
+   *In...*

– *In de Middeleeuwen bestond het gebied dat nu Nederland heet uit een paar hertogdommen.*

1 Karel V maakte van dit gebied één geheel: de Lage Landen.
Van...

2 Het noorden van de Lage Landen kwam al spoedig in opstand tegen het gezag van Filips II.
Al...

3 Deze opstand stond in de beginjaren onder leiding van prins Willem van Oranje.
In...

4 In 1648, bij de vrede van Munster, werd het noorden een zelfstandige republiek.
Bij...

5 Daarna volgde voor Nederland een periode van grote bloei.
Voor...

16 Schrijfoefening

Vul de juiste prepositie in.

1 Willem van Oranje is voor Nederland... groot belang geweest

2 ... zijn leiding maakte Nederland zich los van Spanje.

3 Balthazar Gerards was verantwoordelijk... de dood van Willem van Oranje.

4 Willem van Oranje zou gezegd hebben: Heb medelijden... dit arme volk.

5 Rombout Uilenburg was getuige... de moord... Willem van Oranje.

6 Men legt historische personen vaak onjuiste uitspraken... de mond.

7 De Engelse officieren waren... een bal aan 't spelen.

8 Er bestaat onzekerheid... de woorden van Cambronne.

9 Hij wilde zich niet overgeven... de vijand.

10 Cambronne zei 'verdomme', maar dan... het Frans natuurlijk.

17 Spreekoefening ▱

> De officieren waren met een bal aan 't spelen (tekst 12).

'Zijn aan 't' + infinitief: deze constructie kan men gebruiken als men wil aangeven dat de handeling, de activiteit enige tijd voortduurt.
Vergelijk:
Wij zijn aan 't wandelen.
Wij zijn aan 't beginnen. (niet mogelijk)

Voorbeeld:
+ *Wat doen de kinderen? Spelen ze in de tuin?*
− *Ja, ze zijn in de tuin aan 't spelen.*

18 Spreekoefening

Dit zouden zijn laatste woorden geweest zijn (tekst 12).

In deze zin gebruikt men 'zouden' om aan te geven dat men iets niet zeker weet.
Vergelijk de volgende zinnen:
a   Dit waren zijn laatste woorden
b   Dit zouden zijn laatste woorden geweest zijn.
In zin a gaat het om een feit, een feit waarvan men zeker is.
In zin b bestaat er onzekerheid. Men weet niet helemaal zeker of dit zijn laatste woorden waren.

a   Hij heeft 'verdomme' gezegd.
b   Hij zou 'verdomme' gezegd hebben.
In zin a noemt men een feit. Men twijfelt niet aan dat feit.
In zin b is er onzekerheid. Men is er niet helemaal zeker van dat hij 'verdomme' heeft gezegd.

Er volgt nu een oefening over dit 'zou' of 'zouden'.

Voorbeeld:
+ *Mijn God, heb medelijden met dit arme volk.*
+ *Wie zei dat? Willem van Oranje?*
− *Ja, dat zou Willem van Oranje gezegd hebben.*

Het antwoord: 'Ja, dat zou Willem van Oranje hebben gezegd' is ook goed. In

deze oefening gebruiken we eerst het participium en dan 'hebben' of 'zijn':
gezegd hebben/geweest zijn.

19 Spreekoefening ⌷🔳⌷

Als men iets wil vragen, kan men daarbij gebruik maken van de volgende
woorden: wie, wat, waar.*
'Wie' gebruikt men voor personen, ook als er bij 'wie' een propositie staat.

Voorbeeld:
+ **Willem van Oranje** *stierf in Delft.*
− **Wie** *stierf in Delft.*
+ *Willem van Oranje kwam in opstand* **tegen Filips II.**
− **Tegen wie** *kwam Willem van Oranje in opstand?*

Stel op dezelfde manier uw vraag.

* Herhaling Help 1, les 3.

20 Spreekoefeningen ⌷🔳⌷

Zoals in 19 is gezegd, kan men een vraag stellen met behulp van: wie, wat,
waar.
'Wat' gebruikt men voor zaken, als er geen prepositie voor staat.*

Voorbeeld:
+ *Nederland probeerde* **zijn neutraliteit** *te bewaren*
− **Wat** *probeerde Nederland te bewaren?*
+ *In 1648 werd het noorden* **een zelfstandige republiek.**
− **Wat** *werd het noorden in 1648?*

Stel op dezelfde manier uw vraag.

* Herhaling Help 1, les 3.

21 Spreekoefening

Men kan een vraag stellen met behulp van 'wie' (zie 19), van 'wat' (zie 20) en van 'waar' (zie les 2, 20).

'Waar' gebruikt men bij zaken. Vóór de zaak staat een prepositie.

Diezelfde prepositie wordt gecombineerd met 'waar'. Als de prepositie 'met' is, verandert 'met' in 'mee'.

Voorbeeld:

+ *Het gebied bestond **uit een paar hertogdommen**.*
- ***Waar** bestond het gebied **uit**?*

+ *De Lage Landen waren een deel **van het Bourgondisch-Habsburgse Rijk**.*
- ***Waar** waren de Lage Landen een deel **van**?*

+ *Hij schrijft **met een pen**.*
- ***Waar** schrijft hij **mee**?*

Stel een vraag met 'waar' + prepositie. Zet de prepositie aan het einde van de zin.

22 Spreekoefening

Gebruik van wie, wat of waar + prepositie.

Voorbeeld:

+ ***Willem van Oranje** stierf in Delft.*
- ***Wie** stierf in Delft?*

+ *Nederland probeerde **zijn neutraliteit** te bewaren.*
- ***Wat** probeerde Nederland te bewaren?*

+ *Het gebied bestond **uit een paar hertogdommen**.*
- ***Waar** bestond het gebied **uit**?*

Stel op dezelfde manier uw vraag.

23 Tekst

Alexander dertien

Toen prins Willem-Alexander, de oudste zoon van koningin Beatrix en prins Claus, achttien werd, schreef de schrijfster Renate Rubinstein over Willem-Alexander een boekje. Uit dit boekje volgt hieronder een fragment.

Dit boekje is een moment-opname, maar ik wil het aanvullen met een verhaal dat ik roerend vond. Het speelt vijf jaar geleden, op 30 april 1980. Alexander was net dertien geworden, zijn moeder werd ingehuldigd als koningin. Zoiets is voor velen, en zeker voor de hoofdrolspeelster een indrukwekkende gebeurtenis. Prinses Beatrix, die volgens mij zowel zelfverzekerd is als in wezen verlegen, was van te voren zo nerveus dat ze een week voor de kroning haar stem verloor. Daar was niets aan te doen, ook de dokter kon haar haar stem niet teruggeven, het enige was wachten tot die vanzelf terug zou komen. Wat hij op 29 april deed, maar al die tijd was de troonopvolgster niet in staat haar toespraak te repeteren. Ze kon zich oefenen in het lopen in een mantel met een sleep, maar iets zeggen kon ze niet.

9

Enfin, de stem kwam terug maar de stemming rondom de Nieuwe Kerk te Amsterdam werd op de dag van de inhuldiging steeds nerveuzer. Ze hoorde de helikopter van de politie, die boven het dak van de kerk vloog, tot drie minuten voor haar binnenkomst kon ze de gebeurtenissen buiten ook volgen op de televisie. Ze was, zei ze, echt bang dat er misschien geschoten zou worden, want dat zou de eerste keer geweest zijn dat bij rellen naar zo'n machtsmiddel gegrepen werd. En toen begon ze haar toespraak. Halverwege keek ze, bij een emotioneel punt, naar haar oudste die op de voorste rij zat. En wat deed Alexander? Hij stak zijn duim op, zoals je doet als je iemand complimenteert en aanmoedigt. Ik vind dat karakteristiek voor het fidele van Alexander en zijn moeder voelde zich er door gesterkt.

Mij ontroert dit verhaal, dat sommigen van u misschien wee vinden. Voor mij illustreert het het aardige van oudste kinderen, hun identificatie met en hun verantwoordelijkheidsgevoel voor hun ouders. En dit alles ondanks hun befaamde 'lastigheid'. Ik herken dat.

*Uit: Renate Rubinstein, **Alexander**, Den Haag, Staatsuitgeverij, 1985.*

In regel 9 staat: 'Wat hij op 29 april deed'. Dit betekent: op 29 april kwam de stem weer terug, kon zij weer praten.

Les acht – Proza en poëzie

1 Tekst 📼

Eens een dief altijd een dief

Een echtpaar ontdekt, als het 's ochtends het huis verlaat, dat de auto gestolen is. Ze bellen de politie om de diefstal aan te geven, en doen voor de rest van de dag zo goed en zo kwaad als het gaat zonder auto hun zaken af.
Wie schetst hun verbazing als ze de volgende ochtend de deur uitgaan en hun auto weer zien staan. Op het dashboard zit een briefje, luidend:
'Excuus voor het ongemak dat ik u bezorgd heb, maar ik had zo dringend een auto nodig! Hier zijn twee kaartjes voor La Traviata voor aanstaande vrijdag om het goed te maken. Ik wens u een prettige avond.'
Het echtpaar is blij verrast en vindt het vermakelijk. Maar niet meer zo vermakelijk als ze van de opera terugkeren en tot de ontdekking komen dat hun huis vakkundig is leeggehaald.

*Uit: Ethel Portnoy, **Broodje aap**. Amsterdam, De Harmonie, 1987.*
Ethel Portnoy (geboren in 1927 in de Verenigde Staten) is schrijfster van diverse literaire genres.

2 Schrijfoefening

Behalve het citaat in regel 6 tot en met 8, staat tekst 1 (Eens een dief altijd een dief) in het praesens.
Herschrijf deze tekst en zet daarbij alle werkwoorden die in het praesens staan in het imperfectum. Let daarbij op het gebruik van de juiste conjunctie.
Dus: 'Een echtpaar ontdekt' wordt 'Een echtpaar ontdekte' enzovoort.

3 Leesoefening

Hieronder volgen telkens drie beweringen over tekst 1 (Eens een dief altijd een dief). Slechts één van deze beweringen is juist. Kies de juiste bewering.

1   Als het echtpaar ziet dat hun auto gestolen is, is het

a morgen.

b middag.

c avond.

2 De politie weet dat er een auto is gestolen
   a omdat het echtpaar dat op het politiebureau is gaan vertellen.
   b omdat de politie dat zelf geconstateerd heeft.
   c omdat het echtpaar dat telefonisch heeft meegedeeld.

3 Op de dag dat de auto is gestolen
   a huurt het echtpaar een andere auto om hun zaken af te doen.
   b doet het echtpaar geen zaken.
   c doet het echtpaar hun zaken af zonder auto.

4 De gestolen auto
   a is de volgende dag weer terug.
   b is dezelfde avond weer terug.
   c is nooit meer teruggekomen.

5 De dief van de auto
   a laat in de auto een briefje voor het echtpaar achter.
   b stuurt het echtpaar een briefje.
   c zegt tegen het echtpaar dat hij spijt heeft van de diefstal.

6 De persoon die de auto had gestolen, gaf het echtpaar twee kaartjes voor de opera La Traviata. Het echtpaar
   a vond dat vóór en na de voorstelling leuk.
   b vond dat alleen vóór de voorstelling leuk.
   c vond dat alleen na de voorstelling leuk.

4 Schrijfoefening

Herschrijf de volgende zinnen. Begin de zin met het cursief gedrukte gedeelte.

Voorbeeld:
*Het echtpaar verlaat **'s ochtends** het huis.*
*'s **Ochtends** verlaat het echtpaar het huis.*

1 Ze zien *op dat moment* dat hun auto gestolen is.
2 Ze bellen de politie *om de diefstal aan te geven*.

3 Het echtpaar doet *voor de rest van de dag* zo goed en zo kwaad als het gaat hun zaken af.

4 Ze zien hun auto weer staan *als ze de volgende ochtend de deur uit gaan.*

5 Ze krijgen twee kaartjes *voor de opera van aanstaande vrijdag.*

6 Ze vinden de operakaartjes niet meer vermakelijk *als ze van de opera thuiskomen.*

7 Hun huis wordt leeggehaald *op het moment dat ze naar de opera luisteren.*

5 Vocabulaire-oefening

Geef het substantief dat bij het werkwoord hoort.

N.B.
Niet alle substantieven eindigen op -ing.

	a		b
1	Bij ontdekken	hoort	de ontdekking
2	Bij aangeven	hoort	...
3	Bij zich verbazen	hoort	...
4	Bij verrassen	hoort	...
5	Bij stelen	hoort	...

Vul nu in de onderstaande zinnen de woorden in die u voor kolom b hebt gevonden.

6 Toen het echtpaar buiten kwam, zagen zij dat hun auto was gestolen. Meteen na die ... belden zij de politie.

7 De politie vroeg wanneer zij de ... hadden geconstateerd.

8 Nadat zij van de gestolen auto ... hadden gedaan bij de politie, gingen zij zonder auto hun zaken afhandelen.

9 De volgende dag was er reden voor grote ... : de gestolen auto stond weer gewoon voor de deur.

10 En in de auto lag een briefje en twee kaartjes voor de opera. Wat een leuke ... , dacht het echtpaar.

6 Vocabulaire-oefening

Vervang in de onderstaande zinnen de cursief gedrukte woorden door een woord of een uitdrukking uit tekst 1.

Voorbeeld:

*Het echtpaar verlaat **'s morgens** het huis.*
*Het echtpaar verlaat **'s ochtends** het huis.*

1 Ze doen *zo goed mogelijk* hun zaken af.
2 Ze bellen de politie om de diefstal te *melden*.
3 De volgende *morgen* staat de auto weer voor de deur.
4 Als ze *het huis verlaten*, zien ze de auto staan.
5 Ik had de auto *heel hard* nodig.
6 Het echtpaar *ontdekt* dat hun huis is leeggehaald.

7 Tekst

Eerste bal

1   Het allereerste bal
    met het allereerste meisje
    vóór de allereerste kus
    dat allereerste gesprekje
5   ging aldus:

    Zij zei: ''t Is warm.'
    En hij zei: 'Ja warm.'
    Stilte.

    Zij zei: ''t Is vol.'
10   En hij zei: 'Ja vol.'
    Kilte.

    Toen stokte het gesprek.
    Maar opeens zei ze tijdens de dans:
    'Ik heb een zes.
15   Voor Frans.'
    En hij ertegenin:
    'Ik heb een zes min.'
    O die blik
    die ze aan het einde van de avond
20   aan hem gaf
    met die grote vraag:
    'Heb jij je huiswerk al af?'

Twintig jaar daarna
in de trein of in de bus
25 komen ze elkaar weer tegen
en dan gaat het gesprek aldus:

Zij zegt: ''t Is warm.'
En hij zegt: 'Fris windje.'
Stilte.

30 Zij zegt: ''t Is vol.'
En hij zegt: 'Vind je?'
Kilte.

Dan stokt het gesprek.
Maar opeens zegt ze als in trance:
35 'Ik heb er al zes.
Van Frans.'
En hij: 'Zes kinder?
Nou ik zes minder.'
Wat hem wel de overtuiging gaf:
40 die heeft haar huiswerk al af.

Seth Gaaikema. Gepubliceerd in: **Terug naar de bron**, *Amsterdam/Brussel,
Elsevier, 1980, blz. 59.*
Seth Gaaikema (1939) is cabaretier en tekstschrijver.

8   Mondeling of schriftelijk

1 Geef in uw eigen woorden een korte samenvatting van dit gedicht.
2 Hoe zou u het allereerste gesprek (regel 4 t/m 12) karaktiseren? Als
   – een vlot gesprek?
   – een moeizaam gesprek?
   – een intiem gesprek?
3 Vindt u het tweede gesprek (regel 27 t/m 32) levendiger dan het eerste?
4 Wie heeft het beste cijfer voor Frans, de jongen of het meisje?
5 In regel 9 en in regel 30 zegt zij: 't Is vol. Waar is 't vol?
6 In regel 22 en in regel 40 wordt gesproken over 'huiswerk'. Welke
   betekenis heeft 'huiswerk' in deze regels?

9   Mondeling of schriftelijk

Het gesprek tussen de jongen en het meisje heeft weinig inhoud, gaat over onbelangrijke zaken: 't is warm, 't is vol, fris windje.
Probeer in plaats van de woorden die de jongen en het meisje gebruiken nog andere onbelangrijke, nietszeggende woorden te gebruiken.

Voorbeeld:
Zij zei: 't Is nog vroeg.
En hij zei: Ja nog vroeg.

1   Zij zei:
    En hij zei:
2   Zij zei:
    En hij zei:
3   Hij zei:
    En zij zei:
4   Hij zei:
    En zij zei:

10 Schrijfoefening

Maak – eventueel samen met andere cursisten – een klein toneelstukje van de tekst 'Eerste bal'. Schrijf de dialoog op en eventuele regie-aanwijzingen. Als u wilt kunt u, naast de rol van de jongen en het meisje, nog andere rollen creëren.

U kunt bij voorbeeld zo beginnen:
Het stuk speelt op een dansfeest. Er is dansmuziek. Er is een bar. Bij de bar staan een paar jongens te drinken. Er komt een meisje op. Een van de jongens aan de bar gaat naar het meisje toe.
Jongen   Hallo.
Meisje   Hallo. 't Is warm hè?
Jongen   Ja, 't is warm.
Enzovoort.

Als het toneelstukje is opgeschreven, kunt u het spelen.

11 Spreekoefening ⊡

Voorbeeld:

+ 1 *Zij zei: 't is warm.*
+ 2 *En hij?*
– *Hij zei ook dat het warm was.*

12 Tekst

Dagboekfragmenten

Hieronder volgen twee fragmenten uit de dagboeknotities van Cees Buddingh',
Verveling bestaat niet. Amsterdam, De Bezige Bij, 1972.
Cees Buddingh' (1918-1985) is schrijver van proza en poëzie.

21 januari 1971
Vandaag waren Stientje en ik eenentwintig jaar getrouwd. Een mooi poosje,
vooral als je mijn voorgeschiedenis (= ziektegeschiedenis) in aanmerking
neemt. Maar wat mij betreft zou er nog eenentwintig maal eenentwintig jaar bij
mogen komen, wat helaas weinig waarschijnlijk is. Vandaag met ons allen bij
de Chinees gegeten.

9 september 1971
In de Observer was zondag jl. een stukje over een biologencongres: over een
tien- of twintigtal jaren zal, door een speciaal dieet, al dan niet ondersteund
door pilletjes of tabletten, de gemiddelde leeftijd van 70 tot 90 kunnen stijgen.
Als je dat leest is je eerste gedachte: daar hoop ik ook nog van te profiteren! Als
je er even over nadenkt, ben je heel wat minder zeker. Stel eens dat Stientje er
11 bijv. niet meer zou zijn, je jongens het huis uit, met hun eigen leven, hun eigen
gezin. Misschien dat je dan eens per maand, of eens in de veertien dagen, een
13 paar uurtjes met je kleinkinderen (if any) zou kunnen wandelen. Maar wat een
eenzaamheid zou je daarvoor op de koop toe moeten nemen. Misschien dat het
je heel sereen zou maken, maar dat betwijfel ik toch. Overdag zou het
misschien nog wel gaan, maar 's avonds. Ik zou waarschijnlijk op hoge leeftijd
nog een groot druggebruiker worden.

In regel 13 schrijft de auteur: een paar uurtjes met je kleinkinderen (if any) zou kunnen wandelen. 'If any'
is Engels. Het is in het Nederlands geen gebruikelijke uitdrukking. 'Met je kleinkinderen (if any)'
betekent: met je kleinkinderen, als je die tenminste hebt.

13 Mondeling of schriftelijk

Beantwoord mondeling of schriftelijk de volgende vragen bij tekst 12
'Dagboekfragmenten'.

1   In Nederland viert men feest als een echtpaar 25 of 50 jaar getrouwd is.
    Sommige echtparen vieren ook hun 12½-jarig huwelijksfeest. Wordt er in
    uw land ook feest gevierd als een echtpaar een bepaald aantal jaren
    getrouwd is? Zo ja, wanneer?
2   Wat is *uw* eerste gedachte als u leest dat de gemiddelde leeftijd van 70 tot
    90 kan stijgen?
3   Vindt u het juist dat er pilletjes en tabletten worden gebruikt om te bereiken
    dat mensen langer leven? Motiveer uw antwoord.
4   De schrijver zegt: langer leven betekent meer eenzaamheid. Hij zegt dat
    omdat in Nederland bejaarden meestal niet bij hun familie wonen. Hoe is
    dat in uw land?
5   De schrijver denkt dat hij 's avonds eenzamer zal zijn dan overdag.
    Waarom zou hij dat denken? Wat zou voor u het moeilijkste gedeelte van de
    dag zijn? Motiveer uw antwoord.

14 Leesoefening

Hieronder volgt een aantal vragen over tekst 12 'Dagboekfragmenten'. Op deze
vragen is het antwoord al gegeven. Soms klopt het antwoord met de tekst van
het dagboekfragment, soms niet. Geeft met een kruisje aan wanneer het
antwoord klopt en wanneer het antwoord niet klopt.

	antwoord klopt	antwoord klopt niet
1 Wanneer is de schrijver getrouwd? 21 januari 1950.		
2 Is de schrijver tevreden over zijn huwelijk? Nee.		

	antwoord klopt	antwoord klopt niet
3 Over tien, twintig jaar kunnen de mensen gemiddeld twintig jaar ouder worden. Moeten zij daarvoor iets bijzonders doen? Nee.		
4 Wil de schrijver graag 90 jaar worden? Hij twijfelt.		
5 Wie is Stientje? De dochter van de schrijver.		
6 Wat bedoelt de schrijver met 'je jongens' (regel 11)? Zijn zoons.		
7 Gebruikt de schrijver drugs? Ja.		
8 Heel oud worden heeft misschien mooie, maar heeft ook minder mooie kanten. Welke minder mooie kant noemt de schrijver? De eenzaamheid.		

15 Schrijfoefening

'Met behulp van pilletjes en tabletten kunnen de mensen 90 jaar worden'. Toen ik dat las was mijn eerste gedachte: daar hoop ik ook nog van te profiteren.

Schrijf hieronder op wat uw eerste gedachte is bij de volgende zinnen.

1 'Schilderij de Irissen van Van Gogh voor meer dan 40 miljoen dollar verkocht'.
  Toen ik dat las was mijn eerste gedachte: ...
2 De regering heeft het roken in alle openbare gebouwen verboden.
  Toen ik dat las was mijn eerste gedachte: ...

3   'Door pilletjes kunnen mensen weer jonger worden'.
     Toen ik dat las was mijn eerste gedachte: …
4   Over twintig jaar is een reis naar de maan even gewoon als nu een reis van
     Amsterdam naar New York.
     Toen ik dat las was mijn eerste gedachte: …
5   'Voetballer Ruud Gullit voor 12 miljoen verkocht aan AC Milan'.
     Toen ik dat las was mijn eerste gedachte: …
6   'Regering wil iedere maand één autoloze zondag'.
     Toen ik dat las was mijn eerste gedachte: …
7   De directie van een school in Zwolle wil dat de leerlingen op school een
     uniform dragen.
     Toen ik dat las was mijn eerste gedachte: …
8   'Gemeente Emmen wil hondenbelasting flink verhogen'.
     Toen ik dat las was mijn eerste gedachte: …
9   In het jaar 2000 zal er nergens meer oorlog zijn.
     Toen ik dat las was mijn eerste gedachte: …
10   'Vriendschap is belangrijker dan liefde'.
     Toen ik dat las was mijn eerste gedachte: …

16 Mondeling of schriftelijk

Voorbeeld:
+   *Als u erg eenzaam zou zijn, zoekt u dan contact of wordt u druggebruiker?*
–   *Ik zou waarschijnlijk druggebruiker worden.*

+   *Als u f 100.000,– wint, zet u dan dat geld op een bank of gaat u er iets voor
     kopen?*
–   *Ik zou het waarschijnlijk op de bank zetten.*

Gebruik steeds de uitdrukking: ik zou waarschijnlijk. Kies een van de twee
mogelijkheden.

1   Als u erg eenzaam zou zijn, zoekt u dan contact of wordt u druggebruiker?
2   Als u f 100.000,– wint, zet u dan dat geld op een bank of gaat u er iets voor
     kopen?
3   Als u een reis naar de maan zou worden aangeboden, gaat u die reis dan
     maken of blijft u thuis?
4   Stel dat u uw leven opnieuw zou kunnen doen. Wordt het dan weer
     hetzelfde leven of gaat u anders leven?
5   Stel dat iemand u een schilderij van Rembrandt cadeau geeft. Hangt u dat

schilderij in uw kamer of verkoopt u het?

6   Stel dat u kunt kiezen tussen een huis in de stad of op het platteland. Neemt u het huis in de stad of gaat u op het platteland wonen?

7   Stel: u bent ziek. U kunt genezen door langdurig medicijnen te gebruiken of door u te laten opereren. Wat doet u? Gaat u medicijnen gebruiken of laat u zich opereren?

8   Stel: u krijgt een vakantie aangeboden. U mag kiezen: wintersport of naar zee. Gaat u naar de wintersport of brengt u uw vakantie door aan zee?

9   Stel dat u iemand in een winkel iets ziet stelen. Gaat u dan naar de directie om de diefstal te melden of denkt u: daar bemoei ik mij niet mee?

10 U wilt naar een casino gaan. De portier zegt tegen u dat u niet naar binnen mag omdat u niet correct gekleed bent. Gaat u dan iets anders aantrekken of denkt u: dan maar geen casino?

17 Schrijfoefening

In tekst 12 staan twee dagboekfragmenten.
Schrijf nu zelf ook een klein stukje dagboek.
Schrijf op wat u vorige week zaterdag, zondag en woensdag hebt gedaan of meegemaakt. Per dag ongeveer 10 regels.

Zaterdag ... (datum)
10 regels

Zondag ... (datum)
10 regels

Woensdag ... (datum)
10 regels

18 Tekst

De kameel

De kameel heet wel
het schip van de woestijn,
daar kan ieder over meepraten
die op zo'n beest gezeten heeft.

Je zit hoog op een stoel
als het ware, je gaat
wel heen en weer, maar je voelt
je daarbij op je gemak,
terwijl in de diepte de
kop van het beest
gelijkmatig naar voren glijdt
als een boeg van een
roeiboot, met schokjes.

Gerrit Krol. Uit: **Polaroid. Gedichten 1955-1976.** *Amsterdam, 1976.*
Gerrit Krol (1939) is schrijver van proza en poëzie.

19 Vocabulaire-oefening

Een kameel is een dier, een olifant is een dier, een tijger is een dier.
Kamelen, olifanten en tijgers zijn *dieren*.
Vul de verzamelnaam in.
Voorbeeld:
Kamelen, olifanten en tijgers zijn ... (dieren).

1   Kamelen, olifanten en tijgers zijn ...
2   Eiken, dennen en platanen zijn ...
3   Tulpen, rozen en lelies zijn ...
4   Tafels, stoelen en kasten zijn ...
5   Wijn, coca cola en bier zijn ...
6   Een pas, een rijbewijs, een werkvergunning zijn ...
7   Een piano, een gitaar, een viool zijn ...
8   Huizen, flats en villa's zijn ...
9   Zeep, een kam, een nagelborsteltje zijn ...
10 Arts, leraar, bakker zijn ...
11 Spinazie, andijvie en sla zijn ...
12 Zuid-Holland, Limburg en Noord-Brabant zijn ...
13 Een rok, een trui en een overhemd zijn ...
14 De Maas, de Rijn en de Schelde zijn ...
15 Een geranium, een cactus en een azalea zijn ...

20 Vocabulaire-oefening

Vul in:

zitten	liggen	staan
doen	leggen	zetten

Gebruik de juiste vorm.

1 Heb je wel eens op een kameel ...?
2 Als je op een kameel ... is het net alsof je op een stoel ..., maar dan veel hoger.
3 Als de kameel ..., kun je er niet opklimmen: dat is te hoog.
4 Daarom gaat de kameel eerst ... zodat je op zijn rug kunt gaan .... Daarna gaat de kameel ....
5 Je kunt natuurlijk ook een trapje tegen de kameel aan ... en zo naar boven klimmen.
6 Als je de kameel wilt voeren, moet je voedsel in een zak ... en die zak om de hals van de kameel hangen.
7 Als een kameel wil slapen, blijft hij dan ... of gaat hij dan ...?

21 Spreekoefening

In tekst 18 over 'De kameel' staat: je voelt je daarbij op je gemak. Zich op z'n gemak voelen betekent: zich prettig voelen, zich rustig voelen, niet bang zijn. Hieronder volgt een aantal situaties. Bij iedere situatie wordt gevraagd hoe u zich in die situatie voelt. U antwoordt op die vraag met: 'Dan voel ik mij op m'n gemak' of 'Dan voel ik mij niet op m'n gemak'. Daarna zegt u waarom u zich wel of niet op uw gemak voelt.

Voorbeeld:
+ *Hoe voelt u zich als u op de rug van een kameel zit?*
− *Dan voel ik mij op m'n gemak want een kameel is een heel rustig dier.*
Of:
− *Dan voel ik mij niet op m'n gemak want ik ben bang dat ik van de kameel af zal vallen.*

1 Hoe voelt u zich als u op de rug van een kameel zit?
2 Hoe voelt u zich als u een toespraak moet houden voor een grote groep mensen?

3 U zit binnen. Buiten stormt het. Hoe voelt u zich dan?

4 Hoe voelt u zich als u met uw auto door de binnenstad van Amsterdam moet rijden?

5 U hebt gemakkelijke kleren aan, spijkerbroek, T-shirt. U gaat in een restaurant eten. Het blijkt een deftig restaurant te zijn waar de heren bijna allemaal een pak met stropdas dragen en de dames een jurk. Hoe voelt u zich in dat restaurant?

6 U zit in een zaal naar een goochelaar te kijken. Op een gegeven moment vraagt de goochelaar of u op het podium wilt komen. Hoe voelt u zich op dat moment?

7 U zit in de trein. Naast u zit een dame met haar zoontje. Het zoontje begint over u allerlei opmerkingen te maken: 'die meneer heeft een snor/die mevrouw heeft net zo'n hoed als mama/die meneer leest de krant/die mevrouw kijkt naar buiten'. Hoe voelt u zich in deze situatie?

8 Hoe voelt u zich als u op bezoek bent bij mensen die een grote hond hebben?

9 Hoe voelt u zich in een vliegtuig?

10 Hoe voelt u zich als u 's avonds laat alleen door het centrum van een grote stad moet lopen?

11 Hoe voelt u zich als u in een restaurant de enige gast bent?

22 Luisteroefening

Sunshine Tours

In het volgende luisterstukje komen een aantal geografische namen voor:
Torremolinos: druk bezochte badplaats aan de zuidkust van Spanje.
Dubrovnik: badplaats en toeristenstad aan de westkust van Joegoslavië.
Tunis: hoofdstad van Tunesië, aan de Middellandse Zee.
Kreta: eiland in de Middellandse Zee, ten zuiden van het Griekse vasteland.

Luister op de cassette naar het stukje 'Sunshine Tours'.*
Beantwoord daarna de volgende vragen.

1 De mensen die in 'Sunshine Tours' optreden zijn het er niet over eens waar ze zich bevinden.
   a De man van het echtpaar denkt dat hij in... is.
   b De vrouw van het echtpaar denkt dat ze in... is.
   c De man van het onderwatervissen denkt dat hij in ... is.

d De juffrouw van het reisbureau denkt dat ze op... is.

2 Om te bewijzen dat ze gelijk hebben, noemen ze vier dingen die
   karakteristiek zouden zijn voor de plaats waar ze zich bevinden.
   Deze vier dingen zijn:
   a
   b
   c
   d

3 De juffrouw die het echtpaar beneden in de hal ontving had, volgens de
   man van het echtpaar, een ... accent.

4 Als er bij het echtpaar op de kamerdeur wordt geklopt, denken ze dat het
   het... is. In werkelijkheid is het een Nederlander die vraagt: Kent u
   misschien een paar woorden ...?

---

* Uit: Dimitri Frenkel Frank, *De kleinste hond ter wereld*.
  Dimitri Frenkel Frank (1928-1988) is schrijver van vooral vrolijke of satirische toneelstukken.

23 Schrijfoefening

Geef een beschrijving van uw ideale vakantie of geef een beschrijving van een
vakantie waaraan u met veel plezier terugdenkt.

24 Spreekoefening 🔲

Voorbeeld:
+ *Tegenwoordig is Torremolinos een drukke stad, maar vroeger niet hè?*
− *Nee, vroeger was Torremolinos een stille stad.*

+ *Tegenwoordig staan hier weinig palmen, maar vroeger niet hè?*
− *Nee, vroeger stonden hier veel palmen.*

Gebruik in uw antwoord het imperfectum. Formuleer steeds een tegenstelling:
een drukke stad – een stille stad; weinig palmen – veel palmen.

25 Spreekoefening 🔲

Verander de zin die u hoort in een imperatief met 'toch'.
Let op de plaats van 'toch'.

Voorbeeld:
+ *Je moet kalm blijven.*
− *Blijf toch kalm.*

+ *Je moet je niet opwinden.*
− *Wind je toch niet op.*

26 Tekst

De gierige buurman

Tijl Uilenspiegel had een buurman die maar aan één ding dacht: aan geld.
Hij wilde zo veel mogelijk verdienen. En het geld dat hij verdiend had, wilde
hij niet uitgeven, niet voor zijn eigen plezier en zeker niet voor het plezier van
anderen. Hij was gierig.
Op een goede dag kwam de buurman bij Tijl en zei tegen hem: 'Ik heb een
varken geslacht. Maar weet je wat nu zo vervelend is? Als de mensen hier in de
buurt een varken hebben geslacht, krijg ik altijd een stuk vlees van het varken.
Nu moet ik eigenlijk voor mijn fatsoen al die mensen ook een stuk van míjn
varken geven. Maar daar heb ik helemaal geen zin in. Dat kost me wel een half
varken. Jij, Tijl, jij bent slim. Heb jij een goede raad voor mij?'
'Ja zeker,' zei Tijl. 'Je laat het geslachte varken tot middernacht buiten hangen.
Als iedereen slaapt, sta je op en je haalt het varken stilletjes naar binnen. De
volgende morgen vertel je tegen iedereen dat het varken gestolen is.'
'Dat is een prachtig idee,' zei de buurman en hij deed wat Tijl hem had
aangeraden.
Maar toen hij 's nachts het varken naar binnen wilde halen, was het verdwenen.
Tijl was hem vóór geweest.

De buurman zocht overal, maar hij kon het varken nergens vinden. 's Morgens
in alle vroegte klopte hij aan bij Tijl.
'Tijl,' riep hij wanhopig, 'mijn varken is gestolen.'
'Heel goed,' zei Tijl, 'zo moet je het doen.'
'Nee Tijl, het is ècht weg,' zei de buurman.

'Je speelt het prima,' zei Tijl, 'zo zullen de mensen je zeker geloven.'
En hoe de buurman ook zijn best deed om Tijl duidelijk te maken dat het geen komedie was, Tijl glimlachte maar en gaf hem complimentjes omdat hij zo goed en zo natuurlijk reageerde.

En zo raakte de gierige buurman geen half maar een heel varken kwijt.

27 Schrijfoefening

Maak de volgende zinnen af. Raadpleeg tekst 26 'De gierige buurman'.

1 De buurman van Tijl heeft veel geld. Toch ...
2 De buurman heeft geen zin om aan iedereen in de buurt een stuk van zijn varken te geven want ...
3 De buurman gaat met zijn probleem naar Tijl want Tijl ...
4 De buurman vindt het advies van Tijl een goed advies want ...
5 Toen de buurman 's nachts het varken naar binnen wilde halen merkte hij ...
6 De buurman wist niet dat het varken door Tijl ...
7 Tijl wist heel goed waar het gestolen varken was, maar ...
8 De buurman was bang dat hij een half varken zou kwijt raken. In werkelijkheid ...

28 Luisteroefening ⌷

Luister naar de cassette. U hoort een gesprek tussen Tijl en zijn buurman. Wat de buurman zegt staat op de cassette. Wat Tijl zegt staat hieronder, maar voor de rol van Tijl worden hieronder steeds twee mogelijkheden gegeven. Kies de mogelijkheid die het beste in de dialoog past.
Als u een signaal hoort, stopt u de cassette en zet u een kruisje bij het correcte antwoord.

Tijl 1 a Lekker, een varken.
      b Ik wist niet dat je zoveel kippen had.
Tijl 2 a Dan laten ze het varken gewoon op straat rondlopen.
      b Dan krijgt iedereen in de buurt een stuk van het varken.
Tijl 3 a Hoeveel?
      b Waarom niet?

Tijl   4 a Jawel.

            b Inderdaad.

Tijl   5 a Je hangt het geslachte varken buiten.

            b Je laat het geslachte varken buiten lopen.

Tijl   6 a Ongeveer een meter.

            b Tot iedereen slaapt.

Tijl   7 a Dan haal je het naar binnen.

            b Dan breng je het naar buiten.

Tijl   8 a De volgende dag zeg je tegen iedereen dat je varken is gestolen.

            b De volgende dag zeg je tegen iedereen dat je je varken gaat slachten.

29 Luisteroefening

In tekst 26 (De gierige buurman) staat dat Tijl zijn buurman complimentjes maakt. 'Heel goed/Zo moet je het doen/Je speelt het prima' zijn complimentjes of complimenten.

U hoort nu op de cassette 17 zinnen. Sommige zinnen zijn een compliment, andere zinnen zijn geen compliment.
Als het een compliment is, reageert u met: 'Bedankt voor het compliment'.
Als het geen compliment is, reageert u met: 'Dat zijn mijn zaken'.

Voorbeeld:
+ *Je hebt heerlijk gekookt.*
− *Bedankt voor het compliment.*

+ *Je ruimt nooit je kamer op.*
− *Dat zijn mijn zaken.*

30 Spreekoefening

Als men niet op de naam van een persoon of een voorwerp kan komen, gebruikt men in het Nederlands soms het woord 'dinges'.
Bijvoorbeeld:
De buurman van Tijl heeft een... eh... dinges geslacht.
De buurman gaat naar... eh... dinges... hoe heet hij ook weer, om raad te vragen.

Doe nu de volgende oefening.

Voorbeeld:
+ *Mijn oom is rijk. Dat blijkt uit dinges.*
− *Waar blijkt dat uit?*
+ *Uit zijn dure auto.*

+ *Zij zei iets tegen dinges.*
− *Tegen wie zei zij iets?*
+ *Tegen Jantje Hameling.*

Als u in uw vraag 'waar' + prepositie moet gebruiken, zijn er twee
mogelijkheden. U kunt vragen: 'Waaruit blijkt dat?' of 'Waar blijkt dat uit?'.
In deze oefening gebruiken we de tweede mogelijkheid: 'Waar blijkt dat uit?'

31 Schrijfoefening

Vul in:
de   het   een   die   dat*

1   Tijl heeft … buurman … maar aan een ding denkt: geld.
2   … geld … hij verdient, wil hij niet uitgeven.
3   En … varken … hij heeft geslacht, wil hij helemaal voor zichzelf houden.
4   Aan … mensen … hem wel van hun varken laten eten wil hij niets geven.
5   De buurman moet … varken … hij heeft geslacht buiten hangen en
    's nachts stilletjes binnen halen.
6   De buurman volgt … advies … Tijl hem geeft nauwkeurig op.
7   Maar Tijl, … heel slim is, haalt het varken 's avonds weg.
8   … buurman … het varken nergens kan vinden zegt tegen Tijl: mijn varken
    is gestolen.
9   Tijl geeft complimentjes aan … buurman. Maar … complimentjes … Tijl
    geeft, maken de buurman wanhopig.
10 De moraal: mensen … gierig zijn worden daarvoor gestraft.

*Herhaling Help 1, les 1 en 3.

32 Tekst 🔲

Poes Eefje weg

's Morgens heel vroeg liet ik hem uit
hij wandelde zijn gewone weggetje
door de tuin naar het hekje
ik heb hem nog nagekeken

Sindsdien is hij spoorloos
net of je kind vermist is
en toch verwacht je steeds
dat hij aan de achterdeur klauwt

Hij was gelukkig bij ons en wij met hem
de brokjes, het hart en de tuin
maakte zijn leven uit en ook
spinnend bij Judy op schoot

Misschien is hij wel dood

*Kees Winkler, **Verspreide momenten**. Amsterdam, 1979.*
Kees Winkler (1927) is schrijver van poëzie.

33 Luisteroefening 🔲

U hoort op de cassette een gesprek tussen A en B over de poes Eefje.
In dit gesprek wordt over de poes informatie gegeven die ook staat in tekst 32
(Poes Eefje weg). Maar er wordt ook informatie gegeven die niet in deze tekst
staat.

Hieronder staat het schema van de dialoog tussen A en B. Zet een kruisje in een
van de hokjes als u informatie hoort die *niet* in de tekst van het gedicht staat.
Als de informatie wel in het gedicht staat, zet u geen kruisje.

1 A Dag mevrouw. Ik zoek mijn poes. Mijn poes is weg. Hebt u hem soms
       gezien?
2 B
3 A ☐

  4 B
  5 A ☐
  6 B
  7 A ☐
  8 B
  9 A ☐
10 B
11 A ☐
12 B
13 A ☐
14 B
15 A ☐
16 B
17 A ☐
18 B
19 A ☐
20 B
21 A ☐
22 B

34 Grammatica

Diminutieven.

In tekst 32 staan de woorden: Eefje, weggetje, hekje en brokje. Dit zijn diminutieven. Het diminutief is de verkleinde vorm van het gewone woord.

gewone woord:	diminutief:
Eef	Eefje
weg	weggetje
hek	hekje
brok	brokje

Alle diminutieven zijn het-woorden: het weggetje, het hekje, het brokje.

Om van een gewoon woord een diminutief te maken, zet men achter het gewone woord -je:
hek-je
brok-je

-je wordt soms vervangen door -tje, -etje, -pje en -kje.

-tje
- als het substantief op een klinker eindigt:
  het ei – het eitje
- als er vóór -n, -l en -r een heldere klinker staat:
  het verhaal – het verhaaltje
- na -er, el-, -en (onbeklemtoond):
  de kamer – het kamertje

-etje
- na -l, -m, -n, -ng en -r (als er een beklemtoonde donkere klinker voor staat):
  de bal – het balletje
- bij sommige substantieven op -b, -g en -p (als er een donkere klinker voor staat):
  de weg – het weggetje

-pje
- na -m (als er een heldere klinker voor staat):
  het raam – het raampje
- na -lm en -rm:
  de film – het filmpje
- na -em en -um (onbeklemtoond):
  de bezem – het bezempje

-kje
- meestal na -ing (onbeklemtoond): -g wordt -k:
  de koning – het koninkje

35 Schrijfoefening

Vul het ontbrekende woord in. Gebruik de onderstaande woorden. Zet deze woorden in de diminutief-vorm (dus 'mand' wordt 'mandje' enzovoort).

mand   jongen   kwartier   tuin   fiets   boom   huis   appel   weg   schotel vis   dier

1   Op een goede morgen kwam poes Eefje om zeven uur uit het ... waarin hij had liggen slapen.
2   Hij wandelde door het ... dat voor het huis lag en bij een ... met bruine

bladeren liep hij naar rechts.

3 Daar lag een ... dat van een van de fruitbomen was gevallen.

4 Vervolgens nam hij het ... dat van de tuin naar de rivier loopt.

5 In de rivier zwommen ... , maar daarvoor had Eefje geen belangstelling.

6 Hij had ook geen belangstelling voor het ... dat op zijn ... langs de rivier reed.

7 Hij liep naar een ... waarin een eenzame man woonde die Johannes heette.

8 Toen Johannes de poes zag zei hij: Dag Eefje, dag lief ... . Ik ben blij dat je gekomen bent.

9 Hij haalde een ... met melk en zette dat voor Eefje neer.

10 Toen Eefje de melk op had, praatte Johannes nog een ... met Eefje en daarna ging Eefje weer naar huis.

36 Spreekoefening 🔲

In tekst 32 (Poes Eefje weg) staat: De poes is spoorloos. Toch verwacht je nog steeds dat hij aan de achterdeur klauwt.

'Toch' drukt een tegenstelling uit. Na 'toch' staat iets dat men niet zou verwachten.

'Het regent. Toch gaat zij wandelen.'

Omdat het regent, verwacht men dat zij niet gaat wandelen, maar zij gaat wel wandelen.

'Hij is ziek maar hij gaat toch werken.'

Omdat hij ziek is verwacht men dat hij niet gaat werken, maar hij gaat wel werken.

U hoort een zin. U geeft bij die zin een aanvulling. In uw aanvulling gebruikt u 'toch'. U zet het werkwoord in het perfectum.

Voorbeeld:

+ *Mijn zusje zei: Ik zou die auto niet kopen.*

– *Maar ik heb hem toch gekocht.*

+ *Jan zei: Dat moet je niet doen.*

– *Maar ik heb het toch gedaan.*

37 Tekst

Jan, Jans en de kinderen 2. Door Jan Kruis. Joop Wiggers Produkties BV.

38 Mondeling of schriftelijk

Bedenk een antwoord bij de volgende vragen.

N.B.
Er komen in de strip (tekst 37) drie personen voor: mamma en haar twee
dochtertjes. Het oudste dochtertje heet Karlijn, het jongste heet Catootje.

Na het bezoek aan de tandarts komen Karlijn en Catootje op school.
De juffrouw vraagt: waarom zijn jullie zo laat?
Karlijn antwoordt: ...
De juffrouw vraagt: hadden jullie geen last van de mist?
Catootje antwoordt: ...
De juffrouw vraagt: zijn jullie niet verdwaald?
Karlijn antwoordt: ...

Na school komen Karlijn en Catootje weer thuis.
Mamma zegt: jullie konden vandaag niet naar de tandarts vanwege de mist. Ik
zal een nieuwe afspraak maken.
Daarop zeggen Karlijn en Catootje: ...
Mamma zegt: En vanmorgen hebben we afgesproken dat jullie niet naar de
tandarts zouden gaan. Jullie waren het daar helemaal mee eens.
Karlijn antwoordt: ...
En Catootje zegt: ...
Dan zegt mamma: ...

39 Luisteroefening 🔲

Als Karlijn en Catootje bij de tandarts komen, zegt de tandarts-assistente: Wat
flink dat jullie door die mist zijn gekomen.
U hoort nu op de cassette een aantal situaties. Op deze situaties reageert u met
'Wat ...', gevolgd door een adjectief.

Voorbeeld:
+ *Catootje heeft bij de tandarts niet gehuild.*
– *Wat flink.*

Maak voor uw reactie gebruik van een van de volgende uitdrukkingen:

wat flink   wat mooi   wat ingewikkeld   wat raar   wat vlug

wat jammer   wat veel   wat zwaar   wat primitief

40 Schrijfoefening

Vul de juiste prepositie in.

1   Als je ... buiten kijkt, zie je dat er een dikke mist hangt.
2   De mist is zo dik dat ik de weg ... de tandarts nooit kan vinden.
3   Die weg is bovendien gevaarlijk want hij loopt ... een kanaal.
4   Als je ... de mist weinig kunt zien, loop je het gevaar dat je verdwaalt.
5   Ik heb wel eens gehoord dat mensen die verdwalen altijd ... een kringetje
      rondlopen.
6   Dat brengt me ... een idee. We gaan ... school. We lopen ... een kringetje
      tot we weer thuis zijn en dan zeggen we ... mamma dat we de weg ...
      school niet hebben kunnen vinden.
7   Goed idee. We gaan. Hier ... Albert Heijn moeten we linksaf.
8   Maar is dit Albert Heijn wel? Dit gebouw lijkt meer ... een bank. We zijn
      nu al verdwaald, echt verdwaald.
9   Laten we ... de mensen in dit huis maar even vragen of we daar mogen
      wachten tot de mist is opgetrokken.
10 'Kom binnen. Jullie zijn mooi ... tijd. Flink dat jullie gekomen zijn. Jullie
      zijn niet bang ... de mist en ook niet ... de tandarts.'

41 Spreekoefening 🔲

> Zullen we net doen of we verdwaald zijn? (tekst 37)

Voorbeeld:

+   *Kent hij je niet?*
−   *Jawel, maar hij doet net of hij mij niet kent.*

+   *Begrijpt hij de vraag niet?*
−   *Jawel, maar hij doet net of hij hem niet begrijpt.*

42 Lees- en schrijfoefening

Plezier en ergernis

De journalist Van Lennep gaf in NRC/Handelsblad een opsomming van dingen uit het dagelijkse leven die hij fijn, prettig, aangenaam vindt. Hieronder volgt een selectie uit zijn opsomming.

– een brief posten
– het licht gaat uit in de bioscoop
– je foto's afhalen
– post krijgen uit een ver land
– nieuwe lakens
– het huis van de tandarts verlaten
– de kat komt na twee dagen terug
– een auto slaat na vijf minuten starten toch nog aan

Als reactie op het lijstje van Van Lennep gaf de journaliste Ina van der Beugel in dezelfde krant een opsomming van zaken die haar ergeren.
Een selectie.

– thuis komen en de telefoon horen rinkelen en net te laat erbij
– opgebeld worden door de één, terwijl je vol verwachting op de ander hoopte
– fietsers op het trottoir
– iemand voor je bij het kaartjesloket van de spoorwegen die uitvoerig informatie staat in te winnen
– het wasmeisje bij de kapper, dat al wassend, overal heen kijkt behalve naar je haar
– iemand die zegt: Ik breng je wel even naar de trein met de auto en die dan eerst naar de wc gaat, daarna naar de benzinepomp en dan nog even iets ophaalt bij de stomerij, steeds verzekerend dat je ruim op tijd bent
– iemand die 's avonds om half een zegt dat hij nu eindelijk eens opstapt en wiens auto niet start
– stofzuigen in de gang van het hotel

Maak nu uw eigen lijstje met acht zaken die u prettig vindt en acht waaraan u zich ergert.

Les negen – Herhaling

In les 9 wordt uitsluitend een aantal oefeningen gegeven.
Deze zijn bedoeld voor de leerling of de docent die behoefte heeft aan nog wat
extra oefeningen bij grammaticale onderwerpen.

1   Schrijfoefening

Inversie.
In de volgende tekst staat geen inversie.
Herschrijf de tekst. Zoek zelf het inversiecommando waarmee iedere
herschreven zin begint.

Voorbeeld:
+   *U wilt misschien een videorecorder kopen,*
+   *maar u beschikt eigenlijk niet over voldoende geld.*
−   *Misschien wilt u een videorecorder kopen,*
−   *maar eigenlijk beschikt u niet over voldoende geld.*

Huurkoop

1   U wilt misschien een videorecorder kopen,
    maar u beschikt eigenlijk niet over voldoende geld.
2   Huurkoop is dan een mogelijkheid.
3   U betaalt in dat geval in termijnen.
4   U moet het volgende wel goed onthouden:
    het apparaat blijft bij huurkoop eigendom van de leverancier.
5   Maar u mag het uiteraard gebruiken.
6   De voorwaarden zijn vaak ongunstig.
7   Men mag het apparaat weghalen, als u te laat betaalt.
8   U krijgt dan uw geld niet zomaar terug.
9   Huurkoop is in het algemeen duur.
10 U betaalt bij huurkoop namelijk erg veel rente.

2 Schriftelijk of mondeling

Vul 'er' plus prepositie in.

Voorbeeld:
+ *Ik moet hard werken, maar ik heb ... eigenlijk geen zin ....*
− *Ik moet hard werken, maar ik heb er eigenlijk geen zin in.*

1 Ik kijk iedere dag naar het journaal en ik weet dat veel andere mensen ... ook ... kijken.
2 Wij eten vanavond kip. Ik hoop dat jij ... ook ... houdt.
3 Mijn buurvrouw bracht mij een pan met appelmoes, maar ik geef ... niets ....
4 Mijn broer heeft problemen bij het examen doen. Hij maakt ... zich altijd zo nerveus ....
5 Het was jammer dat je niet mee naar de voetbalwedstrijd kon. Wij hebben ... erg ... genoten.
6 Het duurt mij te lang voordat het eten komt. Wij hebben geen tijd meer om ... nog langer ... te wachten want onze trein vertrekt over drie minuten.
7 Ik ben mijn boeken kwijt. Wat zou ik ... toch ... gedaan hebben?
8 Hoewel ik ... overal ... heb gezocht, kan ik ze nergens vinden.
9 Toen ik het leslokaal binnenliep, kwam Jan ... net ....
10 Ik zou graag meer boeken willen lezen, maar ik heb ... geen tijd ....
11 Ik heb geprobeerd auto te leren rijden, maar ik ben ... al gauw ... gestopt.

3 Schriftelijk of mondeling

Vul 'waar' plus prepositie in.

Voorbeeld:
+ *Een pen is een ding ... je ... kunt schrijven.*
− *Een pen is een ding waar je mee kunt schrijven.*

1 Heb je een blaadje voor me ... ik mijn huiswerk ... kan maken?
2 De tafel ... wij meestal ... eten is een beetje laag.
3 Ik heb een tas bij me ... alle spullen goed ... kunnen.
4 Ik heb net een paar nieuwe schoenen gekocht ... ik toch zo heerlijk ... loop.
5 Ik heb een horloge ... je ook in het donker ... kunt zien hoe laat het is.

6   Een automatiek is een ding … je een kroket of iets anders eetbaars … kunt halen.
7   Daar ligt zeep … je je handen … kunt wassen.
8   Er staan hier bloemen … de hele kamer … ruikt.
9   Ik vond dit een mopje … je niet … kunt lachen.
10 Katten zijn beesten … ik een beetje bang … ben.

4   Schriftelijk of mondeling

Vul de juiste vorm van een adjectief in.
Het in te vullen adjectief is het tegengestelde van het gegeven adjectief.

Voorbeeld:
+   *Het huis waar wij in wonen is klein, maar Jan en Annie wonen in een …*
    huis.
−   *Het huis waar wij in wonen is klein, maar Jan en Annie wonen in een groot*
    huis.

1   Mevrouw, dit brood is oud. Heeft u geen … brood?
2   Het Palace Hotel is heel duur, maar bij ons in de buurt is een … hotel.
3   De meubels die hier staan zijn antiek. Ik houd meer van … meubels.
4   Deze handdoek is vuil. Kun je me een … handdoek geven?
5   Tot nu toe is het deze winter erg zacht geweest. Vorig jaar hadden wij een
    … winter.
6   Vorig jaar was de zomer erg mooi, maar nu hebben wij een … zomer.
7   Gelukkig was gisteren de zaal helemaal vol, maar helaas treden
    toneelgezelschappen maar al te vaak voor … zalen op.
8   Dit gedeelte van de stad is erg druk. Ik woon zelf in een … gedeelte.
9   De vorige keer vonden wij de test heel moeilijk, maar vandaag hadden wij
    een heel … test.
10 Ik geloof dat jij het feest leuk vond. Ik vond het een nogal … feest.

5   Spreekoefening 🔊

U hoort een vraag. Gebruik in uw antwoord 'die', 'dat' of 'daar' + prepositie.

Voorbeeld:
+   *Ken je meneer González?*

− *Ja, die ken ik.*

+ *Zie je het huis?*
− *Ja, dat zie ik.*

+ *Houd je van kaas?*
− *Ja, daar houd ik van.*

6 Spreekoefening 🔲

U hoort een vraag. Gebruik in uw antwoord 'zij/hij heeft vergeten' of 'zij hebben vergeten' gevolgd door een possessief pronomen en 'mee te nemen'.

Voorbeeld:
+ *Waarom heeft oma geen stok bij zich?*
− *Zij heeft vergeten haar stok mee te nemen.*

7 Schriftelijk of mondeling

Gebruik een possessief pronomen.

Voorbeeld:
+ *Ik heb ... pen vergeten.*
− *Ik heb mijn pen vergeten.*

1	Secretaresse	Meneer, mag ik ... inschrijvingsbewijs even zien?
2	Meneer	Even zoeken. Misschien zit het in ... tas. O nee, nu herinner ik het me. Het zat in ... portefeuille en die heb ik thuis laten liggen.
3	Secretaresse	Zonder bewijs mogen we u niet toelaten. Dat zijn nu eenmaal ... regels.
4	Meneer	Ik kan het ook niet thuis gaan halen, want ik heb ... sleutels aan ... vrouw gegeven.
5	Secretaresse	Kunt u niet even naar ... vrouw toe rijden?
6	Meneer	Even, zegt u. ... vrouw werkt helemaal aan het andere einde van de stad. Dat kost me heen en terug minstens drie kwartier. Maar ik heb het cursusgeld echt overgemaakt, hoor. Wilt u niet even op ... lijst kijken of ... naam erop staat?

7 Secretaresse Ik kijk even. U hebt gelijk. ... naam staat inderdaad op ...
lijst. Dat is dus in orde.

8 Schriftelijk of mondeling

Gebruik het relatief pronomen 'die' of 'dat'.

Voorbeeld:
+ *Ik heb een hond ... bijna nooit blaft.*
− *Ik heb een hond die bijna nooit blaft.*

+ *Wij wonen aan een kanaal ... ongeveer twaalf meter breed is.*
− *Wij wonen aan een kanaal dat ongeveer twaalf meter breed is.*

1 Nederlands is een taal ... een beetje op Duits lijkt.
2 De sirenes van de ambulances maken een geluid ... niemand prettig vindt
   om te horen.
3 Ik had vannacht een droom ... ik nooit zal vergeten.
4 De kinderen spelen een spel ... ze met sinterklaas gekregen hebben.
5 Ik heb een telefoontoestel ... drukknoppen heeft in plaats van een
   draaischijf.
6 Ik heb een trui aan ... door mijn moeder gebreid is.
7 Koninginnedag is een feest ... vooral op straat gevierd wordt.
8 Ze zingen een lied ... wij vroeger op school ook zongen.
9 Hij maakte een opmerking ... niemand begreep.

9 Schrijfoefening

Zet het werkwoord en het reflexief pronomen op de juiste plaats.

Voorbeeld:
+ *zich vergissen : Ik   heb   in   de   datum.*
− *   : Ik heb me in de datum vergist.*

Jan is een probleem

De docenten van de school vinden
1 zich inspannen   : dat Jan niet .

2	zich verbazen	: Iedereen over die jongen .
		De leraar Frans zei:
3	zich ergeren	: 'Ik dood aan die jongen .
4	zich interesseren	: Hij nergens voor .'
		De leraar Nederlands zei:
5	zich opwinden	: 'Je kunt wel over die jongen
6	zich boos maken	: en je kunt er wel over
		en het is waar dat
7	zich houden aan	: hij niet aan de regels van de
		school ,
		maar volgens mij is er iets met die jongen.
8	zich wassen	: Hij niet .
9	zich verzorgen	: Hij helemaal niet .
10	zich bemoeien	: Misschien zijn ouders niet met
		hem .
11	zich in verbinding stellen	: Wij moeten eens met de ouders .'
		Maar de schooldekaan zei:
12	zich afvragen	: 'Heren, heeft u weleens waarom
		die jongen zo is?
13	zich verdiepen	: Heeft u weleens in zijn situatie ?
14	zich voelen	: Die jongen moet eenzaam .
15	zich redden	: Hij moet alleen zien te .
16	zich aantrekken	: Zijn moeder helemaal niets meer
		van hem .
17	zich steken	: Zijn vader heeft diep in de
		schulden .
18	zich verbazen	: Ik er dan ook niet over
19	zich inspannen	: dat die jongen op school niet .'

10 Spreekoefening 🔲

Separabele werkwoorden.

Voorbeeld:
+ *Zou hij wel op tijd opstaan?*
− *Ja, hij staat vast wel op tijd op.*

11 Spreekoefening 🔲

Separabele werkwoorden.

Voorbeeld:
+ *Sla maar links af.*
– *Nee, want ik zie dat je hier niet links af mag slaan.*

U kunt ook zeggen: Nee, want ik zie dat je hier niet links mag afslaan.
In deze oefening gebruiken we eerst het prefix ('af'), dan 'mag' en dan de infinitief: 'af mag slaan'.

12 Spreekoefening 🔲

Separabele en niet-separabele werkwoorden.

Voorbeeld:
+ *Ik heb mijn huis opgeknapt.*
– *O, ik ben ook van plan mijn huis op te knappen.*

13 Spreekoefening 🔲

Gebruik in uw antwoord een comparatief en een imperfectum.

Voorbeeld:
+ *Ga je vaak naar de bioscoop?*
– *Nee. Vroeger wel. Vroeger ging ik vaker naar de bioscoop dan nu.*

14 Spreekoefening

Maak een vraag met 'zou u' en 'even'.

Voorbeeld:
+ *U wilt dat iemand het raam dichtdoet. U vraagt:*
– *Zou u het raam even willen dichtdoen?*
  Of:
– *Zou u het raam even dicht willen doen?*

1 U wilt dat iemand het raam dichtdoet. U vraagt:
2 U wilt dat iemand de deur opendoet. U vraagt:
3 U wilt dat iemand u helpt. U vraagt:
4 U wilt dat iemand de dokter opbelt. U vraagt:
5 U wilt dat iemand zijn tas wegzet. U vraagt:
6 U wilt dat iemand op een andere stoel gaat zitten. U vraagt:
7 U wilt dat iemand de tafel dekt. U vraagt:
8 U wilt dat iemand met u meegaat. U vraagt:
9 U wilt dat iemand een fotokopie maakt. U vraagt:
10 U wilt dat iemand de kopjes afwast. U vraagt:
11 U wilt dat iemand de rommel opruimt. U vraagt:

15 Spreekoefening

Gebruik in uw antwoord 'zou' of 'zouden'.

Voorbeeld:
+ *Is Kees met vakantie gegaan?*
– *Ik denk het wel. Hij zou tenminste met vakantie gaan.*

16 Spreekoefening

Gebruik in uw antwoord het praesens van het passivum.

Voorbeeld:
+ *Wie bouwt deze huizen? De gemeente?*
– *Ja, deze huizen worden door de gemeente gebouwd.*

+ *Waar bouwen ze deze huizen? In de binnenstad?*
– *Ja, deze huizen worden in de binnenstad gebouwd.*

17 Spreekoefening

Gebruik in uw antwoord 'die' of 'dat' en het perfectum van het passief.

Voorbeeld:
+ *Wil jij de broodjes klaarmaken?*
– *Nee, dat hoeft niet meer. Die zijn al klaargemaakt.*

+ *Wil jij het vlees snijden?*
– *Nee, dat hoeft niet meer. Dat is al gesneden.*

18 Schriftelijk of mondeling

Gebruik een vorm van: staan, liggen, zitten, zetten, leggen en doen.
Gebruik het praesens of het participium.

Voorbeeld van het praesens:
+ *Waar ... mijn pen?*
– *Waar ligt mijn pen?*

Voorbeeld van het participium:
+ *Die heb ik op tafel ... .*
– *Die heb ik op tafel gelegd.*

1 Waarom ... de auto niet meer voor de deur?
  Ik heb hem in de garage ... .
2 ... er al suiker in de koffie?
  Nee, nog niet. Ik heb er nog geen suiker in ... .
3 De kopjes ... al klaar, maar ik moet nog lepeltjes hebben.
  Die ... in de la.
4 Waar is Jan?
  Die ... in Duitsland. Hij heeft daar een conferentie.
5 De televisie ... aan en niemand kijkt ernaar.
  Wil jij hem even uit...?
6 Hoeveel knopen ... er aan uw jas?
  Vier. Maar ik zie dat er een los ... . Die moet ik er wat beter aan ... .
7 Wil je nog wat thee?
  Graag, als er tenminste nog wat in de pot ... .
8 ... er nog iets bijzonders in de krant?
  Kijk zelf maar. Hij ... op tafel.
9 Heb je nog in de brief ... dat ik niet mee kom?
  O nee, ik heb het vergeten en ik heb de brief al op de post ... .
10 Haal eens gauw een doekje. Er ... melk op tafel. Wat hebben jullie
  gemorst!
11 Waarom ... de voordeur open? Die moet je niet alleen dicht... , maar ook
  op slot ... .
12 Je moet nooit een sleutel in het slot laten ... . de sleutel maar in het

sleuteldoosje.
13 In haar kamer ... altijd veel bloemen.
14 Er ... een grote vlek op je pak. Zo kun je niet uitgaan.
15 Er ... niet genoeg geld in je portemonnee. Ik zal er een beetje meer geld in
    ... .
16 Komen jullie gauw? Het eten ... al op tafel.
17 Heb je het woordenboek op tafel gelegd?
    Ja, het ... op tafel.
18 Het water ... al een tijdje te koken. Zal ik even thee ... ?
19 Waar ... Groningen?
    Dat ... in het noorden van Nederland.
20 Ik ... met een probleem. Kun jij me ermee helpen?
21 Heb je de boeken in de boekenkast gezet?
    Ja, ze ... in de boekenkast.

19 Mondeling of schriftelijk

Vul een van de volgende conjuncties in: als, dat, hoewel, maar, of, omdat, toen.

1   ... Corry vroeger van huis ging, deed ze nooit haar voordeur en haar
    balkondeuren op slot, ... iedereen haar voor inbraak had gewaarschuwd.
2   Ze dacht er niet aan ... er ook bij haar weleens ingebroken kon worden.
3   Ze zei tegen iedereen ... er bij haar toch niet veel te halen was.
4   ... ze echter dinsdagavond thuiskwam, vond ze de deur van haar balkon
    open en ze zag ... iemand veel rommel in haar huis had gemaakt.
5   Ze liep meteen naar de buren, ... ze bang was ... er nog iemand in haar
    huis was, ... dat was natuurlijk niet het geval.
6   Corry constateerde ... ze alleen geld meegenomen hadden.
7   Na deze inbraak doet ze wel steeds de deur op slot ... ze even naar de buren
    gaat om een praatje te maken.

20 Lees- en schrijfoefening

Conjuncties.
Lees eerst de volgende tekst.

Vrouw opgesloten in kast

Een 21-jarige vrouw heeft een deel van het afgelopen weekend in haar kast doorgebracht.

Bij thuiskomst zaterdagavond laat, hoorde ze vreemde mannen in haar huiskamer rondspoken. Ze werd bang en het leek haar verstandiger om in een kast weg te kruipen.

Zeven uur later, zondagmorgen om half negen, kwam haar vriend op bezoek en kwam ze weer te voorschijn. De televisie en de geluidsinstallatie waren verdwenen, maar de stofzuiger was er nog. Daar had ze namelijk op gezeten.

Vul de volgende zinnen aan. Maak daarbij gebruik van de inhoud van de tekst die hierboven staat.

1 Er heeft in de krant gestaan dat ...
2 Toen ..., hoorde zij dat ...
3 Omdat ..., leek het haar verstandiger in een kast weg te kruipen.
4 Zondagmorgen om half negen, zeven uur nadat ..., kwam haar vriend op bezoek en kwam zij weer te voorschijn.
5 De televisie en de geluidsapparatuur waren verdwenen, maar ... want ....

21 Spreekoefening 📼

Begin uw antwoord met 'Ja, toen...' gevolgd door inversie.

Voorbeeld:
+ *Woonde je in Egypte toen je klein was?*
− *Ja, toen woonde ik in Egypte.*

22 Spreekoefening 📼

Indirecte vraagzin.
Begin uw zin met: 'Ik vroeg of...', gevolgd door een plusquamperfectum.

Voorbeeld:
+ *Heeft ze alles in orde gemaakt?*
− *Ik vroeg of ze alles in orde had gemaakt.*

U kunt ook zeggen: 'Ik vroeg of ze alles in orde gemaakt had'.
In deze oefening zet u het participium (gemaakt) aan het einde: had gemaakt.

23 Schrijfoefening

Zet de werkwoordsvorm op de juiste plaats en gebruik de aangegeven tijd.

Voorbeeld:

+ *maken (perfectum)* : *Ik gisteren mijn huiswerk* .
—   : *Ik heb gisteren mijn huiswerk gemaakt.*

Gevangene ontsnapt

1	zich voortbewegen (plusquamperfectum)	: Een gevangene die zeven jaar in een invalidewagentje
2	zien (perfectum)	: tijdens de rit naar het ziekenhuis kans te ontsnappen .
3	zijn (imperfectum)	: Dat een grote verrassing .
4	zien (perfectum)	: 'Wij hem nooit lopen ,'
5	zeggen (imperfectum)	: een woordvoerder van de strafinrichting Avon Park in Florida.
6	uitzitten (imperfectum)	: De 43-jarige gedetineerde een levenslange gevangenisstraf ,
7	vermoorden (plusquamperfectum)	: omdat hij in 1979 zijn vrouw .
8	binnenkomen (plusquamperfectum)	: Destijds hij zittend de gevangenis .
9	vermelden (imperfectum)	: Zijn dossier dat
10	hebben (imperfectum)	: hij een zware heupwond ,
11	kunnen (imperfectum)	: waardoor hij niet lopen .
12	bewijzen (imperfectum)	: De man het tegendeel :
13	slaan (imperfectum)	: hij de bewaker tegen de grond
14	nemen (imperfectum)	: en vervolgens de benen .

24 Schrijfoefening

Zet de werkwoordsvorm op de goede plaats en gebruik de aangegeven tijd.

Voorbeeld:

+ *gaan (perfectum): Wij   vroeg   naar   huis   .*
− *   : Wij zijn vroeg naar huis gegaan.*

Tasjesdief

1	doen (perfectum)	: Twee Finse meisjes bij de politie aangifte van diefstal ,
2	gaan (plusquamperfectum)	: nadat een hond er met hun tas vandoor .
3	zitten (imperfectum)	: De jongedames in een restaurant aan het Amsterdamse Damrak een hapje te eten
4	binnenstappen (imperfectum)	: toen er een grote zwarte hond
5	oppakken (imperfectum)	: die op zijn gemak hun tas
6	staan (imperfectum)	: die naast de tafel .
7	denken (imperfectum)	: Zij niet anders dan
8	zijn (imperfectum)	: dat het een grap .
9	uitlopen (imperfectum)	: Toen de hond met zijn buit de deur en
10	blijken (imperfectum)	: vervolgens onvindbaar ,
11	veranderen (imperfectum)	: ze van gedachten.
12	zeggen (imperfectum)	: De politie
13	meemaken (plusquamperfectum)	: dat ze nog nooit eerder zoiets .
14	veronderstellen (praesens)	: Een rechercheur
15	trainen (perfectum passief)	: dat de hond als tasjesdief .

25 Schrijfoefening

Zet de werkwoordsvormen op de goede plaats en gebruik de aangegeven tijd.

Voorbeeld:

+   *kopen (praesens)* : *Ik   morgen   nieuwe   stoelen.*
−   : *Ik koop morgen nieuwe stoelen.*

Gesprek tussen Paola en Jeroen

1	hebben (praesens)	: Paola	Ik	hier	een	paar	oude	stoelen
2	gebruiken (praesens)	:	die	ik	niet	meer	.	
3	eruit zien (praesens)	:	Ze	zo	lelijk	.		
4	kunnen (praesens)	:	Waar	ik	die	kwijt	?	
5	weten (praesens)	: Jeroen	je					
6	kunnen (praesens)	:	waar	je	ze	het	beste	kwijt ?
7	zijn (praesens)	:	Donderdag	het	immers			
			koninginnedag	.				
8	zijn (praesens)	:	Dan	er	altijd	een	rommelmarkt	.
9	moeten (praesens)	: Paola	Maar	dan	ik	naar	de	les .
10	sluiten (perfectum passief)	: Jeroen	Nee	,	want	dan	alles	.
11	kunnen (praesens)	: Paola	iedereen	zomaar	naar	de		
			rommelmarkt	met	zijn	spullen	?	
12	zien (praesens)	: Jeroen	O	ja	,	je	er	iedereen ,
13	verwachten (praesens)	:	mensen	van	wie	je	het	
			helemaal	niet	,			
14	verkopen (praesens)	:	daar	hun	spullen	.		
15	vinden (praesens)	:	Ik	koninginnedag	altijd	gezellig	.	
16	vinden (imperfectum)	:	Weet	je	wat	ik	vroeger	zo
			leuk	?				
17	vertellen (imperatief)	: Paola	eens	.				
18	zijn (imperfectum)	: Jeroen	Dat	de	kinderfeesten	.		
19	wonen (imperfectum)	:	Wij	in	een	klein	dorp	.
20	organiseren (imperfectum passief)	:	Er	door	de	buurtbewoners		
			allerlei	kinderfeesten	.			
21	houden (imperfectum passief)	:	Er	wedstrijden	.			
22	kunnen (imperfectum)	:	Je	dan	een	prijs	winnen	.
23	krijgen (imperfectum)	:	Je	dan	een	cadeaubon	.	
24	mogen (imperfectum)	:	Die	je	dan	in	de	dorpswinkel
			inwisselen	.				
25	hebben (imperfectum)	: Paola	je	dan	geen	school	?	
26	weten (praesens)	: Jeroen	je	dan	niet			
27	hebben (praesens)	:	dat	de	meeste	mensen	op	
			koninginnedag	vrij	?			

28	dragen (praesens)	:	En veel mensen op die dag een oranje speldje of oranje bloem .
29	dragen (praesens)	: Paola	Waarom ze juist oranje ?
30	nadenken (imperatief)	: Jeroen	eens even .
31	heten (praesens)	:	Hoe de Nederlandse koninklijke familie ?

26 Mondeling of schriftelijk

Plaats van *niet* in de bijzin
Geef op de volgende vragen een negatief antwoord.

Voorbeeld:
Gaat de vergadering van 10 november door?
Ik heb van Floris gehoord…
Ik heb van Floris gehoord dat de vergadering van 10 november niet doorgaat.

1 Gaat de vergadering van 10 november door?
   Ik heb van Floris gehoord dat…
2 Zul je het niet vergeten?
   Ik beloof je dat…
3 Is het vliegtuig op tijd vertrokken?
   Er is net meegedeeld dat…
4 Gaat het morgen regenen?
   De weerman zegt dat…
5 Is X op de avond van de moord in café De Hoop geweest?
   X heeft verklaard dat…
6 Heeft Sjaan de laatste film van Fellini gezien?
   Ze zegt dat…
7 Heeft Frans het pakje dat wij hem gestuurd hebben ontvangen?
   Hij schrijft dat…
8 Vriest het hier vaak?
   Nee, ik geloof dat…
9 Houd je van spinazie?
   Ik heb je al honderd keer gezegd dat …

27 Mondeling of schriftelijk

Bepaling in de bijzin.
Vul een of meer woorden in.

Voorbeeld:
Hij zegt dat hij al ... in Nederland woont.
Hij zegt dat hij al lang/tien jaar/sinds 1970 in Nederland woont.

1 Hij vertelt dat hij al sinds 1980 ... woont.
2 Ik hoor van Karin dat jullie ... weer terug gaan naar je eigen land.
3 Ik heb aan de buurvrouw gevraagd of ze ... bij ons een kopje koffie komt drinken.
4 Zij schreef ons dat de reis naar Marokko ... was verlopen.
5 Hij vertelde me dat hij ... bij V & D een nieuwe televisie had gekocht.
6 Weet je dat Teresia ... haar eerste baby verwacht?
7 Ik bel je even om te zeggen dat ik ... wat later op kantoor kom.
8 De conducteur zei dat de trein over enkele minuten ... zou aankomen.
9 Ik snap niet dat jij met al je diploma's ... geen werk hebt gevonden.
10 Ik ga nu een maand met vakantie om ... eens lekker uit te rusten.

Volledige woordenlijst

Hieronder volgt de woordenlijst bij deel 2 van 'help'.

Deze woordenlijst bevat slechts die woorden welke in deel 1 van de serie 'help' niet voorkomen.

De cijfers verwijzen naar de plaats waar het woord voor de eerste keer voorkomt. Het eerste cijfer is het nummer van de les, het tweede cijfer het nummer van de paragraaf in die les. 1.7 is les 1 paragraaf 7.

In tegenstelling tot deel 1 van 'help' wordt een werkwoordsvorm die voor de eerste keer voorkomt, niet als zodanig opgenomen. De infinitief van nieuwe werkwoorden wordt wel vermeld. Alleen van de onregelmatige werkwoorden die niet in deel 1 staan wordt het imperfectum en het perfectum gegeven.

Achter elk substantief wordt het bijbehorende lidwoord vermeld. De pluralisvorm wordt achterwege gelaten, tenzij het een uitzondering betreft.

Het vocabulaire van de uitleg van de grammatica is niet opgenomen, evenmin als het vocabulaire dat de cursisten in een aantal oefeningen moeten invullen. Een dik gedrukt woord betekent dat zo'n woord een ruimere betekenis heeft dan de betekenis die wordt aangeboden in het tekstboek.

1.23	à (prep.)	
6.15	aan	in: de kinderen zitten overal aan
3.28	aan boord	
6.24	aan de kant doen	iets
4.7	aan de lijn doen	
	lijn, de	
6.15	aan z'n laars lappen	(iets)
	laars, de	
7.17	aanbellen	
2.33	aandacht, de	
3.4	aandacht besteden	(aan iemand of iets)
	besteden	
3.24	aandachtig	
3.1	aandachtspunt, het	
5.28	aandikken	
4.8	aangepast	
4.8	aangesprokene, de	
3.3	aangeven	

7.8	aangeven	(declareren)
5.8	aangifte, de	
5.22	aanhangig maken	
6.24	aanhouden	(iemand)
1.9	aankijken	
2.38	aankleden, zich	
8.26	aankloppen	
3.14	aanleg, de	(van wegen)
8.12	aanmerking, de	zie: in aanmerking nemen
7.23	aanmoedigen	
5.22	aanpassen, zich	(aan iemand of iets)
8.26	aanraden	raadde-ried aan, raadden-rieden aan, heeft aange-raden
4.8	aanraken	
3.28	aanraking, de	zie: in aanraking komen
4.30	aanschaffen	
8.42	aanslaan	(van motor) sloeg aan, sloegen aan, is aangeslagen
2.13	aanslag, de	aanslagen (op het leven van iemand)
5.26	aantrekkelijk	
3.23	aantrekken	trok aan, trokken aan, heeft aangetrokken (kleren)
2.39	aantrekken, zich	(van iets of iemand) trok zich aan, trokken zich aan, heeft zich aangetrokken
5.1	aanvaarden	
2.19	aanvallen	
5.18	aanvang, de	
5.18	aanvragen	
3.1	aanvullen	
4.1	aanwezig	
5.14	aanwezigheid, de	
2.33	aapje, het	
4.25	aardappel, de	
1.19	aardrijkskunde, de	
2.22	aardrijkskundeboek, het	
2.19	aarzeling, de	
3.9	abonnee, de	
3.9	abonneren, zich	
1.1	absoluut	
3.1	accent, het	
6.20	accepteren	

212

3.4	artikel, het	(in een krant)
2.38	artist, de	
4.1	arts, de	
2.33	Assepoester	
1.23	attractie, de	
8.15	autoloos	
5.14	autoverhuurbedrijf, het	
3.9	avondblad, het	avondbladen
2.33	avontuur, het	
8.19	azalea, de	
1.9	baan, de	
3.18	baas, de	
7.8	babykleertje, het	
8.22	badplaats, de	
2.33	bakker, de	
2.34	bakkerij, de	
1.15	bal, de	in: wij begrijpen geen bal
7.12	bal, de	
8.7	bal, het	
1.23	balie, de	
1.17	Balkan, de	
9.19	balkondeur, de	
2.13	ballet, het	
2.15	balletles, de	
7.4	band, de	
7.9	bandje, het	(om een sigaar)
4.28	bang	
6.28	banket, het	(banketletter)
6.13	bankstel, het	
8.10	bar, de	
6.28	basisschool, de	
3.22	beconcurreren	
4.18	bedekken	
8.30	bederven	bedierf, bedierven, heeft bedorven
3.17	bedoeling, de	
4.13	bedrag, het	bedragen
2.32	bedrijf, het	
3.9	bedrijfsleven, het	
1.9	bedroefd	

3.1	beeld, het	(op de televisie)
5.28	beerput	in: een hele beerput opentrekken
7.23	befaamd	
7.1	beginjaren, de	
3.1	beginsel, het	
6.22	begrijpelijk	
3.17	begroting, de	
6.4	behandelen	
3.20	beheerder, de	
2.33	behendigheidscir-cuit, het	
3.1	behoefte, de	
1.15	behoorlijk	in: het waait behoorlijk
1.19	behoren	(tot iemand of iets)
2.33	behuizing, de	
3.21	bejaard	
8.13	bejaarde, de	
4.36	bek, de	
3.19	bekend	
3.9	bekendmaken	
4.34	bekken, het	
5.22	bekladden	
6.13	bekleden	
3.1	belang, het	zie: van belang zijn
4.29	belasting, de	
6.15	beleefd	
3.20	beleid, het	
2.33	beleven	
1.10	België	
5.28	bemoeien, zich	(met iemand of iets)
5.11	benaderen	
1.9	benauwd	
5.20	bende, de	
5.8	benoemen	
2.33	benutten	
8.42	benzinepomp, de	
1.9	beoordelen	
3.1	bepaald	
1.17	bepalen	
4.21	beperken	

1.8	bewolkt	
2.33	bewonderen	
4.1	bewondering, de	
5.28	bewoonster, de	
3.14	bewust zijn, zich	(van iets)
7.4	bezetten	
1.29	bezienswaardigheid, de	bezienswaardigheden
2.1	bezighouden, zich	(met iemand of iets)
3.26	bezitting, de	
1.23	bezoeken	
5.28	bezorgen	(iets bij iemand thuis brengen)
8.1	bezorgen	(veroorzaken)
6.17	beëindigen	
1.19	bieden	zie: de gelegenheid bieden
1.1	bij	in: er moet nog een koetje bij.
6.14	bij voorbaat	
6.1	bijeenbrengen	
5.1	bijstaan	
4.4	bijten	beet, beten, heeft gebeten
6.14	bijzonder	
4.18	bil, de	
5.22	binnendringen	drong binnen, drongen binnen, is binnengedrongen
7.23	binnenkomst, de	
3.9	binnenlands	
5.21	binnenstad, de	binnensteden
7.4	binnenvallen	
8.12	biologencongres, het	
7.1	bisdom, het	
6.28	bisschop, de	
9.3	blaadje, het	(papier)
8.35	blad, het	(van een boom) bladeren
6.31	blaffen	
1.4	blazen	blies, bliezen, heeft geblazen
1.9	blik, de	
7.1	bloei, de	
3.16	bloeiperiode, de	
6.32	bloemetje, het	(een bos bloemen)
4.20	bloot	
2.33	bocht, de	

2.19	boe-geroep, het	
8.18	boeg, de	
6.32	boekenbon, de	
6.7	bonbon, de	
4.34	boog, de	
3.28	boord	zie: aan boord
1.8	boos zijn op	(iemand of iets)
	boos	
2.19	borst, de	zie: uit volle borst
4.18	borst, de	
6.28	borstplaat, de	
6.13	borstzakje, het	
1.1	bos, het	
4.36	bosje, het	(bloemen)
3.21	botsen	
5.13	bouwtekening, de	
3.19	boven (prep.)	
4.10	bovenarm, de	
4.12	bovenbeen, het	
4.12	bovenkaak, de	
4.12	bovenlichaam, het	
4.12	bovenlip, de	
6.35	bovenstaand	
4.12	boventand, de	
3.19	brand, de	
2.4	branden	in: die heeft zijn lichten laten branden
3.19	brandweer, de	
6.21	Braziliaan, de	
6.1	Brazilië	
1.14	breed	
2.29	breken	brak, braken, heeft gebroken
8.32	brokje, het	
6.27	bromfiets, de	
1.9	broodmager	
3.16	budget, het	
1.9	bui, de	
4.34	buigen	boog, bogen, heeft gebogen
1.23	buik, de	
4.30	buikspier, de	
3.24	buis, de	(hier: televisie)

3.14	college, het	(aan de universiteit)
5.8	college, het	(groep mensen)
7.9	compartiment, het	
2.33	compleet	
7.23	complimenteren	
3.25	conclusie, de	
5.26	concurrentie, de	
5.26	concurreren	
5.11	condoleren	
9.18	conferentie, de	
5.26	confronteren	
2.1	constateren	
5.1	constitutie, de	
5.1	constitutioneel	
3.3	consumentgericht	
1.3	contact, het	
3.19	controle, de	
2.4	controleren	
5.21	controversieel	
5.30	copiëren	
8.16	correct	
2.33	coureur, de	
8.10	creëren	
5.18	criminaliteit, de	
2.1	cultureel	
2.1	cultuur, de	
2.1	cultuurvoorziening, de	
4.21	curieus	
9.7	cursusgeld, het	
2.10	daarentegen	
3.20	dader, de	
3.9	dagblad, het	dagbladen
8.12	dagboekfragment, het	
8.12	dagboeknotitie, de	
1.23	dagelijks	
5.18	dagtaak, de	
3.24	dalen	
1.19	dam, de	
7.1	danken	

9.23	gevangenisstraf, de	
2.13	geven	in: ze geven hier Hamlet
9.2	geven	in: geven om iemand of iets
3.9	gevoel, het	in: ik heb het gevoel
6.1	gevoelen, het	
3.19	gevolg, het	
3.17	gevorderd	
3.20	gewapend	
5.11	Gewestelijk arbeids-bureau	
4.21	gewicht, het	
3.20	gewond raken	
	gewond	
3.21	gewonde, de	
2.38	gewoonte, de	
7.1	gezag, het	
8.39	gezang, het	
4.34	gezichtsspier, de	
6.13	gezin, het	
1.9	gezondheid, de	
1.9	gezondheidstoe-stand, de	
4.3	gids, de	(persoon)
8.26	gierig	
2.33	giraf, de	
8.19	gitaar, de	
6.18	glijden	gleed, gleden, heeft-is gegleden
8.26	glimlachen	
6.32	gloria, de	
2.33	glorie, de	
2.33	gnoe, de	
2.19	goal, de	
4.21	God	goden
2.19	godallemachtig	
6.20	godsdienst, de	
7.1	godsdienstig	
5.1	goedkeuren	
3.20	gokhuis, het	
2.33	gondoletta, de	
8.21	goochelaar, de	

2.32	goochelkunst, de	
3.22	gooien	
7.1	gouden	
1.17	graad, de	
7.1	graafschap, het	
7.1	gracht, de	
5.22	grandioos	
2.32	grap, de	
6.28	grappig	
2.19	grasmat, de	
4.2	gratis	
3.20	grens, de	
1.19	grenzen	(aan een land)
6.21	Griek, de	
4.14	griepje, het	
4.4	grijpen	greep, grepen, heeft gegrepen
5.11	groenvoorziening, de	
6.22	grof	
3.19	grond, de	
5.1	grondwet, de	
1.19	guur	
4.31	gymnastiekles, de	
3.4	haast, de	
1.9	haastig	
1.16	hagelen	
6.35	hagelslag, de	
6.28	half	in: half november
4.18	hals, de	
4.34	halsspier, de	
7.23	halverwege	
2.28	hand, de	
6.15	hand, de	zie: uit de hand lopen
9.4	handdoek, de	
6.32	handdruk, de	
7.1	handel, de	
5.17	handelen	(hier: doen)
7.1	handelsonderne-ming, de	
4.8	handencontact, het	

4.30	handig	
4.30	handvat, het	
6.32	hapje, het	
4.36	happen	
2.19	harmonie, de	(orkest)
4.18	hart, het	
6.32	hartig	
5.28	hartstilstand, de	
3.27	hasj, de	
1.19	haven, de	
1.27	hebben	in: iets aan iemand of iets hebben
4.1	hedendaags	
1.4	heen en weer	
1.17	heersen	(aanwezig zijn)
7.1	heersen	(de baas zijn)
2.19	hees	
1.8	hekel	zie: een hekel hebben
8.32	hekje, het	
1.9	helder	in: helder van geest
5.22	heleboel, de	
7.23	helikopter, de	
6.32	herdenken	
7.20	herenhuis, het	
7.4	hereniging, de	
3.21	herfst, de	
4.13	herhalen	
1.35	herinnering, de	
7.23	herkennen	
4.4	hersens, de	
7.18	hertog, de	hertogen
7.1	hertogdom, het	
2.11	het eens zijn	(met iemand of iets)
8.40	het gevaar lopen	
	gevaar, het	
1.9	het hebben over	(iets of iemand)
6.32	het is me door het hoofd geschoten	
2.10	het laten afweten	
1.1	het staat als een paal boven water	

paal, de

vlam, de

7.23	in wezen	
3.21	inbreken	
1.32	inderdaad	
3.14	Indiaan, de	
4.30	individueel	
6.1	Indonesisch	
6.12	Indonesië	
6.21	Indonesiër, de	
1.9	indruk, de	
7.23	indrukwekkend	
3.24	indutten	
8.30	informatica, de	
1.35	informatie, de	
3.16	informatief	
1.23	informeren	(naar iemand of iets)
3.2	ingaan	(op iets)
3.4	ingesteld zijn	
4.1	ingewanden, de	
8.39	ingewikkeld	
5.16	ingrijpend	
8.9	inhoud, de	
7.23	inhuldigen	
7.23	inhuldiging, de	
3.16	initiatief, het	
2.6	inpakken	(van koffers)
8.29	inrichten	
9.17	inschenken	
9.7	inschrijvingsbewijs, het	
3.14	inspannen, zich	
5.11	instantie, de	
2.33	instappen	
1.15	instituut, het	
8.41	interesseren	(het interesseert me)
3.14	interesseren, zich	(voor iemand of iets)
2.19	interland, de	
7.1	internationaal	
5.18	interview, het	
8.8	intiem	

234

1.9	intussen	
3.27	inval, de	
9.23	invalidewagentje, het	
4.8	invloed, de	
9.11	invoegen	
7.9	invoeren	
7.8	invoerrechten, de	
8.42	inwinnen	(informatie) won in, wonnen in, heeft ingewonnen
9.25	inwisselen	
5.8	inwoner, de	
2.33	inzicht, het	
8.15	iris, de	(bloem)
6.21	Italiaan, de	
2.19	Italiaans	
3.20	jaarlijks	
4.36	jager, de	
5.28	jaloers	
1.33	Japan	
6.32	jarig	
6.32	jarige, de	
6.32	jenever, de	
7.19	jeugd, de	
1.17	Joegoslavië	
9.24	jongedame, de	
8.12	jongstleden	
2.33	jonkie, het	
3.3	journaal, het	
8.42	journalist, de	
3.9	journalistiek	
2.33	jungle, de	
3.20	juwelierszaak, de	
4.12	kaak, de	
1.4	kaal	
4.34	kaars, de	in: maak een kaars (gymnastiek)
	kaars, de	
1.9	kaarsrecht	
1.35	kaart, de	
6.32	kaart, de	(post)
8.42	kaartjesloket, het	

238

3.19	plantaardig	
5.8	plantsoen, het	
4.34	plat	
8.19	plataan, de	
6.32	platenbon, de	
2.33	platteland, het	
8.39	plein, het	
1.15	pleiten	(voor iemand of iets)
4.36	plukken	
1.2	plus minus	
8.21	podium, het	podiums en podia
5.28	poen, de	
9.17	poetsen	
1.14	polder, de	
3.27	politiecorps, het	
3.1	politiek (adj.)	
4.12	pols, de	
8.12	poosje, het	
2.9	popconcert, het	
2.25	popgroep, de	
2.1	populair	
3.24	populariteit, de	
6.32	port, de	
5.8	portefeuille, de	(taak van minister of wethouder)
9.7	portefeuille, de	(voor geld of papieren)
9.18	portemonnee, de	
8.16	portier, de	
4.21	Portugees, de	
4.34	positie, de	
1.9	potdicht	
2.39	potje, het	
9.19	praatje, het	
3.4	praktisch	
6.1	presenteren	
5.1	president, de	
5.18	preventiegericht	
9.25	prijs, de	(voor de winnaar)
7.1	prins, de	
7.23	prinses, de	
6.20	privéleven, het	

5.8	recreatie, de	
3.21	redden	
9.9	redden, zich	
6.15	rede, de	zie: in de rede vallen
7.5	reden, de	
3.18	regelen	
1.15	regen, de	
1.19	regenachtig	
5.1	regeren	
1.19	regering, de	
5.2	regeringsbeleid, het	
3.11	regeringskrant, de	
8.10	regie-aanwijzing, de	
3.9	regio, de	
3.9	regionaal	
2.33	registreren	
5.26	reiniging, de	
5.26	reinigingsbedrijf, het	
5.11	reinigingsdienst, de	
1.23	reisgids, de	
4.30	reistas, de	
7.8	reiziger, de	
5,26	rekening houden	(met iemand of iets)
	rekening, de	
7.23	rel, de	
9.1	rente, de	
5.14	reparatiebedrijf, het	
7.23	repeteren	
5.1	republiek, de	
4.25	reserveren	
5.28	reuze	
7.1	revolutie, de	
3.16	reëel	
3.9	richten, zich	(op iemand of iets)
2.24	rij, de	
8.30	rij-examen, het	
6.24	rijbewijs, het	
4.29	rijk (adj.)	
5.8	rijk, het	
7.21	rijkdom, de	

1.23	toerist, de	
8.22	toeristenstad, de	toeristensteden
2.19	toeschouwer, de	
7.23	toespraak, de	
5.11	toestemming, de	
5.32	toetje, het	
5.11	toezicht, het	
7.8	toiletzeep, de	
6.20	tolerant	
3.27	ton, de	(1000 kilo)
2.1	toneel, het	
9.4	toneelgezelschap, het	
2.10	toneelliefhebber, de	
2.9	toneelstuk, het	
6.20	toneelvereniging, de	
6.22	tonen	
4.12	tong, de	
3.21	topdrukte, de	
2.25	toptien, de	
1.17	tot slot	
4.36	touwtje, het	
1.38	traag	
1.9	traan, de	
4.30	trainen	
6.32	trakteren	(op iets)
8.7	trance, de	
1.15	treffen	trof, troffen, heeft getroffen (raken)
4.36	trekken	
7.23	troonopvolgster, de	
6.20	trots	(op iemand of iets)
5.11	trottoir, het	
1.17	Tsjechoslowakije	
6.8	tuinstoel, de	
1.1	tulp, de	
6.21	Turk, de	
6.12	tweedehands	
3.21	tweetal, het	
6.15	twijfel, de	
8.12	twintigtal, het	

262

3.28	vergaan	verging, vergingen, is vergaan
3.4	vergaderen	
5.4	vergadering, de	
3.22	vergelijken	
4.31	vergelijking, de	
2.19	vergissen, zich	
3.2	vergroten, het	
3.1	vergroting, de	
3.14	verheugen, zich	(op iets)
6.32	verjaardagscadeau-tje, het	
6.16	verjaardagsfeest, het	
6.32	verjaardagskaart, de	
6.32	verjaardagskalender, de	
6.32	verjaardagslexicon, het	
6.32	verjaardagslied, het	verjaardagsliederen
6.32	verjaardagstaart, de	
6.32	verjaarspartijtje, het	
3.21	verkeersongeval, het	
2.33	verkeerspark, het	
3.14	verkeersprobleem, het	
5.15	verkeerssituatie, de	
2.33	verkeerstuin, de	
5.1	verkiezing, de	
5.20	verkiezingspro-gramma, het	
1.23	verklaren	
3.14	verkleden, zich	
4.10	verkleinen	
5.26	verkoopleider, de	
1.38	verlangen	(naar iemand of iets)
6.32	verlanglijstje, het	
2.31	verlaten	
1.19	verleden, het	
5.10	verlenen	
6.24	verlengen	
3.24	verliezen	verloor, verloren, heeft verloren

266

3.19	vervoeren	
5.11	vervoersbedrijf, het	
1.17	verwachting, de	
5.2	verwerpen	verwierp, verwierpen, heeft verworpen
3.1	verwerven, zich	verwierf zich, verwierven zich, heeft zich verworven
3.19	verwoesten	
3.9	verwonderen, zich	(over iemand of iets)
6.31	verzekeren	in: dat kan ik je verzekeren
2.10	verzetje, het	
5.20	verzetten, zich	(tegen iemand of iets)
5.11	verzoek, het	
1.4	verzoend	(infinitief: zich verzoenen)
3.18	verzorgen	
1.38	vest, het	
5.4	vestiging, de	
5.28	vet	in: een vette kliek
8.39	viaduct, het	
3.2	videoband, de	
6.4	vieren	(feest)
6.32	viering, de	
1.4	vies	
7.12	vijand, de	
8.19	villa, de	
2.13	vinden	in: niets aan het circus vinden
4.4	vinger, de	
8.19	viool, de	
6.13	vis, de	
8.22	vissen	
8.22	vissersbootje, het	
7.8	visum, het	visums en visa
1.38	vlaag, de	
2.10	Vlaams	
8.22	vlag, de	
1.19	vlak	
3.29	vlam, de	zie: in vlammen opgaan
2.39	vlees, het	
9.18	vlek, de	
7.23	vliegen	vloog, vlogen, heeft-is gevlogen
6.13	vliegreis, de	

7.23	zelfverzekerd	
3.24	zendaanbod, het	
3.24	zender, de	
3.16	zendgemachtigde, de	
3.14	zenuwachtig	
8.7	zes min, de	
8.7	zes, de	(hier: cijfer op school)
5.10	zetel, de	
1.19	zetelen	
2.19	zeuren	
3.3	zicht, het	
2.31	zichzelf	
2.22	ziekte, de	
8.12	ziektegeschiedenis, de	
1.15	ziel, de	
2.13	zien	in: ik wou de goedkoopste plaatsen zien te krijgen
9.9	zien	in: hij moet zich zien te redden
4.21	zijn best doen	
2.1	zingen	zong, zongen, heeft gezongen
1.15	zintuigfysiologie, de	
2.19	zitplaats, de	
5.1	zitting	(vergadering)
8.1	zo goed en zo kwaad als het gaat	
4.31	zo	in: zo ja, zo nee
6.20	zo	in: zo veel mogelijk
3.24	zo'n	(ongeveer)
1.1	zoals	
4.34	zodat	
6.32	zoen, de	
6.32	zoet	(van een gebakje)
1.19	zogenaamd	
2.19	zojuist	
1.8	zomerdag, de	zomerdagen
9.12	zomerhuisje, het	
3.9	zondagsblad, het	zondagsbladen
6.31	zondagsdienst, de	
3.9	zondagseditie, de	
2.13	zonde	in: het is zonde

Index van behandelde grammaticale onderwerpen

Het eerste cijfer verwijst naar de les, het tweede naar het nummer van de oefening in die les.

zou/zouden

'Als ik tijd had, zou ik…'	grammatica		4.5
	mond. of schr.		4.6
	mond. of schr.		4.7
'Zou je me even willen helpen?'	spr. oef.	📼	4.13
'Hij zou komen'.	spr. oef.	📼	4.15
	spr. oef.	📼	4.16
'Hij zou gezegd hebben…'	spr. oef.	📼	7.18
'Ik zou waarschijnlijk…'	mond. of schr.		8.16
'Zou je me even willen helpen?'	spr. oef.		9.14
'Hij zou komen'	spr. oef.	📼	9.15